젊은 공학도에게 전하는
50가지 이야기

세만공 총서 3

젊은 공학도에게 전하는
50가지 이야기

혼마 히데오 지음
김정환 옮김

다산
사이언스

머리말

나는 간토가쿠인 대학(関東学院大学)에서 연구자로서, 그리고 교육자로서 40년이 넘는 세월을 근무해 왔다. 그리고 2012년 3월에 대학에서 마지막 강의를 할 예정이다. 물론 4월 이후에도 재료·표면 공학 연구소의 소장으로서 산관학(産官學) 협력의 지속적인 발전을 위해 노력할 생각이지만, 이 시점에서 한 시대의 마침표를 찍고 다음 단계로 넘어간다는 의미도 담아 이 책을 출간하기로 했다.

이 책은 회원제 소책자에 집필했던 에세이 '이런저런 잡다한 생각(雜感)' 시리즈의 원고를 가필, 수정한 것이다. 내용은 일상의 연구 생활 속에서 느낀 점, 산관학 협력 프로젝트를 추진하는 과정에서 생각한 점, 교육을 담당하는 사람으로서 학생들을 상대하는 가운데 머릿속에 떠오른 점 등 다양하다. 책을 만들기 위해 그 원고들을 다시 읽어 보면서 나는 주제를 하나 정했다. 이 책에 '다음 세대에 전하고 싶은 말'을 뚜렷하게 새겨 넣자는 것이다. 나는 앞으로도 현역 연구자로서 제일선에서 계속 활동할 것이지만, 젊은 사람들에게 꼭 해 주고 싶었던 말을 구체적인 형태로 남겨 놓을 때가 되었다고 생각했다. 그래서 말을 엄선하면서 작업을 진행했는데, 의욕이 커져서 이것도 넣고

젊은 공학도에게 전하는 50가지 이야기

저것도 넣다 보니 최종적인 제언의 수는 50개가 되었다.

참으로 걱정거리가 많은 시대다. 일본의 제조업은 어디로 향할 것인가, 중소기업의 내일은 어떻게 될 것인가, 다음 세대를 짊어질 젊은이들에게 희망은 있는가……. 그러나 나는 결코 미래를 비관하지 않는다. 이런 시대에도 규모와 상관없이 두각을 나타내는 기업은 분명히 존재한다. 젊은이들의 미래도 결코 암울하지만은 않다. 다만 진정으로 밝은 미래를 만들려면 크게 바꿔야 할 의식이 몇 가지 있다. 또 세계 무대에서 경쟁하려면 하루빨리 재검토해야 할 방침도 있다. 일본의 제조업이, 그리고 경영자를 비롯해 제조업에서 일하는 사람들이 과감히 결단하고 다음 한 발을 내디디려면 어떻게 해야 할까? 이에 대한 내 나름의 생각을 50가지 제언에 담았다.

이 책은 6장으로 구성되어 있다.

제1장은 '때로는 발상력보다 끈기를'이라는 제목으로, 무엇보다도 먼저 전하고 싶은 나의 연구 철학과 평소의 생활신조를 정리했다.

제2장인 '대발견을 하는 데는 철칙이 있다'는 연구와 개발에 종사하는 사람들, 제조 부문에 몸담고 있는 사람들 모두가

읽었으면 하는 장이다. 일을 할 때 이런 생각이 중요할 것이라는 포인트를 담았다.

제3장의 제목은 '움직이지 않는 조직을 어떻게 움직일 것인가?'이다. 이 장에서는 경영 전략의 요체부터 시작해 일상 업무에서 유의할 점에 관해 내가 생각하는 바를 이야기했다.

제4장과 제5장은 개인적인 경험을 포함해 내가 교육 현장과 연구 현장에서 생활하는 가운데 사색했던 이런저런 내용을 정리한 것이다. 특히 젊은이들은 제5장을 꼭 읽었으면 한다. 제조업에 몸담고 있으면서도 그 길을 확신하지 못하고 방황하는 젊은이들을 향한 내 나름의 격려이며 조언이기도 하다.

그리고 '마지막 강의'라는 제목을 붙인 최종 장에서는 나의 지난 연구 인생을 이야기하면서 제조업과 산관학 협력이 앞으로 나아가야 할 바람직한 방향에 관한 내 생각을 적었다.

이 책에 실은 50가지 제언 중 한두 가지라도 여러분의 업무 생활에 힌트가 되어 내일의 활력으로 이어진다면 글쓴이에게 그보다 기쁜 일은 없을 것이다.

마지막으로, 이 책의 편집을 담당해 주신 기타무라 모리(北村森) 씨에게 깊은 감사의 인사를 전한다. 또 많은 도움을 주신 간토가쿠인 대학 공학부 공학회와 간토가쿠인 대학 출판회의 요쓰모토 요이치(四本陽一) 씨에게도 감사의 인사를 전하고 싶다.

2012년 봄
혼마 히데오

한국의 독자들에게

공학 인생 50년 즈음에 한국의 독자 여러분들과 지면을 통해서 인사를 드리게 되어 대단히 영광스럽고 기쁩니다.

　본문에서도 언급하고 있지만, 사람이 살아가는 데 있어서 중요한 것은 일본어로 [아 이 우 에 오]라는 것을 기억해 주시길 바랍니다.

　　[아]는 아이(愛, 사랑),
　　[이]는 이시(意志, 의지),
　　[우]는 운(運, 운),
　　[에]는 엔(緣, 인연),
　　[오]는 온(恩, 은혜)을 뜻합니다.

　즉, 사랑을 기초로 한 강한 의지로 운(기회)을 잡아, 인연과 은혜를 잊지 않고 봉사의 정신을 실천하는 것이 중요하다고 학생들과 직원들에게 자주 이야기를 하곤 합니다. 그러면 충실감으로 흘러넘치는 인생이 되리라 생각됩니다.

　또한 애정을 갖고 일을 하면 주위의 사람들도 똑같이 애정을 갖게 되므로 항상 성실한 마음가짐으로 모든 일을 추진해 나가시길 바랍니다. 그러면 주위 사람들도 반드시 이해를 해 줄 것입니다.

젊은이들에게 인생의 선배로서 해 줄 수 있는 것은, 희망을 갖고 안심하며 일을 할 수 있는 환경을 만들어 주는 것이라고 생각합니다. 서로가 신뢰 관계를 쌓을 수 있어야 하며, 어떤 조직에서라도 관리자는 부하 직원에게 희망과 믿음을 줄 수 있어야 합니다.

앞으로 다가오는 시대에는 대학의 지식 활용이 매우 중요한 열쇠가 되리라 생각합니다. 그런 가운데 학생들에게 애정을 쏟아가며 교육을 한다면, 머지않은 미래에 산업계로부터 신뢰받는 후계자 육성으로 연결되리라 확신합니다.

혼마 히데오
간토가쿠인 대학 특별 영예 교수,
재료 · 표면 공학 연구소 소장

추천의 글

이 책의 저자인 혼마 선생과 제가 인연을 맺게 된 때는 지금으로부터 30여 년 전입니다. 저는 당시 화학 공학을 공부한 후 전자 부품 제조업에 몸을 담게 되었는데, 인쇄 회로 기판 산업의 핵심 기술인 도금을 배우고자 일본 유학길에 오르게 되었습니다. 바로 그때 간토가쿠인 대학의 혼마 교수의 문하에 들어가게 된 것입니다.

도금은 이론적 지식뿐만 아니라 실물을 통한 기술 습득이 중요한데, 유학 기간 동안 혼마 선생의 가르침 아래 도금의 이론과 실질적인 기술을 접할 수 있는 좋은 기회를 가지게 되었고, 덤으로 많은 일본 동문들을 알게 되어 현재까지도 친분을 이어올 수 있게 되었습니다. 유학을 마치고 귀국한 이후 저는 전자 부품 산업에 더욱 정진하게 되었고, 공학도로 출발하여 30년 넘게 전자 부품 제조의 외길을 걸으며 때로 어려움도 겪었지만 많은 보람과 자부심을 느끼며 살아가고 있습니다.

혼마 선생과는 지금도 년 1~2회의 학술 세미나를 통해 최근 개발 성과와 새로운 기술에 대한 의견을 교환하고 있으며, 각 분야의 동문들과도 첨단 전자 부품 기술에 대한 정보 교환을 통해 기술 변화에 대응할 아이디어를 얻고 있습니다. 혼마 선생은 산학 연대를 통해 도금 기술을 산업계에 확산하는 데 큰 공을 세웠고 이 공로를 인정받아 산관학 연계 특별상을 수상한 바 있으며, 국제 표면 처리 연합회와 미국 전기 학회로부터도 상을 수여 받은 바 있습니다. 최근에는 일본 간토가쿠인 대학을 재료·표면 공학 분야의 대학원 중심 대학으로 발전시켜 세계에서 활약하는 글로벌 인재 및 고도 기술자를 육성하고자 하는 프로그램을 준비하고 있습니다.

이 책은 혼마 선생이 연구 활동과 산학 연대 활동을 통하여 경험하게 된 일들과 생각을 수필처럼 쉽게 써 내려간 것으로, 공학도가 생각해야 하는 바람직한 방향, 지켜야 하는 원칙 그리고 산학 연대의 전개 방향에 대해 소개하고 있습니다. 공학에 관심이 있거나 관련이 있는 독자들께, 특히 산학 연대에 관심이 있는 독자들께 많은 도움이 됐으면 하는 바람입니다.

김영재
대덕전자(주) 대표이사

차례

제3장 움직이지 않는 조직을 어떻게 움직일 것인가?

제4장 시점을 바꿔 본다

제5장 제조업에 몸담고 있는 젊은 그대에게

최종장 마지막 강의

때로는 발상력보다 끈기를

현재의 공장 경영 방식으로는
미래가 없다고 생각해 기술력을 높이는 동시에
도급 산업으로부터 탈피할 방법을 궁리하고
실천에 옮긴 사장이 있다.

제 1 장

1
우수한 기술일수록 공개하라

지금이야말로 2011년에 발생한 미증유의 대지진을 계기로 일본의 강력한 기술력을 재인식하고 세계에 과시해야 할 때다. 지진이 발생한 지 한 달 뒤, 외국인들이 일본 방문을 기피하던 바로 그 시기에 캘리포니아 대학의 교수 두 명이 공동 연구를 협의하기 위해 찾아왔다. 그 전해에 내가 한국에서 초대 강연을 했을 때 산학 협동에 대한 우리 대학의 생각을 이야기한 것이 계기였다. 대학과 산업계가 공동으로 연구와 기술자 교육을 촉진하는 '산학 협력'이라는 접근법은 이제 완전히 대중적이 되어서, 지금은 적극적이지 않은 대학을 찾기가 더 어려울 정도다. 그런데 일본에서 이 산학 협력을 처음으로 실시한 선구자가 약 반세기 전의 간토가쿠인 대학(関東学院大学)이라는 사실을 아는 사람은 그리 많지 않을 것이다. 당시 학교 내에 설치한 실습 공장이 사업부가 되고, 그것이 간토카세이 공업(KANTO KASEI CO., LTD.)이라는 기업으로 발전했다. 당시는 산학 협력이라는 말도 없었다. 요컨대 일본에서 산학 협력의 개척자는 바로 간토가쿠인 대학이었던 것이다.

처음에는 사업부 시절의 나의 은사인 나카무라 미노루(中

村実) 교수를 중심으로 개발한 '청화동(시안화구리) 도금'의 실용화 기술이 자동차용 범퍼의 저비용 라인 생산을 가능케 했다. 그리고 이어서 사업부 시대에 현 하이테크노 사장인 사이토 마모루(斎藤囲) 선생(40년에 가까운 긴 세월 동안 간토가쿠인 대학의 비상근 강사를 담당)이 '무전해 도금' 이론을 제창하고 플라스틱 위에 도금을 하는 기술을 세계 최초로 실용화했다. 이를 계기로 세계 자동차의 내외장이 금속에서 플라스틱으로 바뀌었고, 그 후 전자 공학에서 없어서는 안 될 반도체와 기관의 접속도 이 기술을 적용하자 납땜을 하던 시절에 비해 비약적으로 효율화되었다. 간토가쿠인 대학의 산학 협력을 통해 탄생한 이 두 가지 도금 기술이 세계를 선도한 것이다. 나는 간토가쿠인 대학 공학부의 2기생이자 간토가쿠인 대학 대학원의 1기생으로서 이 플라스틱 도금 기술에 초기부터 관여했다. 당시는 밤낮을 잊고 주말도 없이 후배와 함께 실험에 몰두했다. 나카무라 교수가 쉴 새 없이 "성공했나?", "아직인가!?"를 연발하며 들볶는 통에 힘들었지만, 내가 지금 세계 최초로 이 실험을 하고 있다고 생각하면 흥분되는 마음을 억누를 수 없었다.

'좋은 기술은 공개한다.' 이것이 간토가쿠인 대학의 연구자 정신이다. 특히 잊지 말아야 할 사실은 전 세계 산업계에 커다란 충격을 안긴 '플라스틱 도금' 기술을 나카무라 교수의 뜻에 따라 특허를 취득하지 않고 공개한 것이다. 신청만 했다면 특허

취득은 확실한 기술이었고, 만약 특허를 취득했다면 당연히 막대한 수익이 대학에 들어왔을 터였다. 이에 대해 특허를 취득하지 않고 공개하면 산학 협력을 추진한 의미가 약해지지 않느냐고 생각하는 사람도 있겠지만, 당시는 반특허(Anti-Patent)의 시대였다. 대학에서 기껏 좋은 기술을 개발했는데 이것을 우리 안에 가둬서는 안 된다고, 널리 보급하는 것이 당연하다고 생각했다. 그것도 단순히 공개하고 끝이 아니라 일본 각지에서 온 수많은 공적 기관의 연구자와 민간 기술자들에게 기술을 상세히 전수했다. 어떤 사람은 이렇게 전부 가르쳐 줘도 되는 것이냐며 놀라기까지 했다. 그러나 졸업생을 비롯해 많은 사람이 알고 있듯이 간토가쿠인 대학의 교훈은 "사람이 되어라. 봉사하라."이며, 우리는 그 가르침을 상징적으로 실천해 왔다. 최근에는 특허를 둘러싼 상황이 변했지만, 지금도 간토가쿠인 대학에는 연구 성과를 널리 공표해야 한다는 마음가짐이 살아 숨 쉬고 있다.

2
제품 만들기는 곧 사람 만들기

2010년에 나는 새로운 전개를 향해 첫발을 내디뎠다. 요코하마 시 경제관광국과 포괄 협정을 체결한 것을 계기로 요코하마 시 공업 기술 지원 센터 내에 간토가쿠인 대학 재료·표면 공학 연구 센터를 개설한 것이다. 그런데 이 요코하마 시 공업 기술 지원 센터의 기원은 무려 50년도 더 전에 나카무라 미노루 교수가 간토가쿠인 대학으로 오기 전에 몸담았던 상공장려관이다. 그곳에 연구 거점을 구축하게 되었다는 사실에 나는 혹시 신의 뜻이 아닌가 하는 신기한 느낌을 받았다.

　일본의 제조업이 살아남으려면 좀 더 수준과 난이도가 높은 최첨단 기술 분야의 연구가 꼭 필요하다. 그리고 이를 위해서는 산학 협력의 틀을 넘어서 지방 자치 단체도 포함한 산관학 협력 체제를 구축해야 한다. 센터는 그런 이미지를 실현하는 거점이 될 것이다. 운영비는 제품 만들기의 근간을 떠받치는 회사를 중심으로 한 기업들의 협찬금으로 충당하고 있다. 자유롭고 활달한 연구를 위해 행정 기관의 조성금은 받지 않는다. 또한 오랫동안 산학 협력의 현장에서 나카무라 교수에게 담금질을 받으며 성장해 온 신뢰와 인맥을 보유하고 있으며, 공정의 폐쇄화와 재이용화를 철저히 하는 고도화된 21세기의 도금 기술을 개발하기 위한 준비가 갖춰져 있다.

센터는 교수 5명과 학생 15명의 구성으로 출범했다. "제품 만들기는 사람 만들기", "하이테크도 도금이 없으면 로우테크", "생각만 하지 말고 일단 시도해 봐!", 평소부터 학생들이 즐겁게 연구할 수 있는 환경을 만들고자 애쓰면서 이런 말을 반복했다. 그중에서도 내가 좌우명으로 삼고 있는 말은 이것이다. "포기하지 말고 끝없이 전진하라!"

3
연구 생활은 마라톤처럼 길다

2007년에 문부과학성이 대학과 기업의 공동 연구 건수를 집계했다. 이에 따르면 대학과 기업의 공동 연구 건수는 약 1만 건이며, 그 비율은 대기업이 70퍼센트, 중소기업이 30퍼센트라고 한다. 나는 가나가와 현 및 경제산업성의 중소기업 육성과 관련된 위원을 맡고 있는데, 중소기업에 대한 지원은 아직도 수가 적은 듯하다. 제조업만으로도 전국에 30만 개에 가까운 중소기업이 있다는 사실을 생각하면 낮은 수준에 그치고 있는 것이 현실이다. 그 수가 늘지 않는 이유는 중소기업의 경우 공동 연구에 바라는 것이 대기업과 다르기 때문으로 분석되고 있다. 또 연구 개발 부문을 보유한 대기업은 산학 협력의 성과가 나오기까지 오랜 시간을 기다릴 여유가 있지만, 경영 자원이 빈약한 중소기업은 단기간에 성과를 기대하는 경향이 있다는 것도 일반적인 평가다.

그러나 우리가 관련된 표면 처리 분야로만 한정한다면 이것은 편견일 뿐이다. 연구 개발은 마라톤처럼 장기적인 레이스이므로 나는 지금까지 산학 협력에서 단기적인 성과를 추구하기보다 가능하면 오랫동안 함께 일하기를 바라 왔다. 그런데 내 경험으로는 대기업과 단기적인 계약을 맺을 때가 오히려 더 많았다. 게다가 그 대부분은 당연히 단기간에 나름의 성과를 올릴 것을 기대한다. 그래서 나는 우리의 생각에 동의하는 기업하고만 협력한다. 실제로 단기 계약의 경우는 계약이 종료된 뒤에 커다란 성과로 연결되는 일이 많았기 때문에 신뢰 관계를 바탕으로 한 장기적인 협력이 중요하다.

1990년대 이후 제조업의 해외 이전이 본격화되면서 도급형 기업은 시장을 떠날 수밖에 없게 되었다. 표면 처리 업계에서도 한때 4000여 개가 넘기도 했던 기업이 2000개 이하로 감소했지만, 표면 처리 분야를 비롯해 전문 분야에서는 높은 기술력을 갖춘 중소기업이 나타나고 있다. 일본은 앞으로도 제품 만들기를 특기 분야로서 전면에 내세울 필요가 있다. 또한 독일을 비롯해 북유럽에서는 산학 협력을 적극적으로 진행하고 있다. 일본도 이를 본받아 앞으로는 각 대학이 제품 만들기를 담당하는 중소기업과 더욱 깊게 협력할 필요가 있다.

4
경쟁력을 되살릴 전략을 만들자

1980년대부터 1990년대 전반까지만 해도 일본의 국제 경쟁력은 세계 정상급이었다. 그러나 이후 경쟁력이 급속히 떨어지기 시작했고, 스위스의 IMD(경제 개발 국제 연구소)가 공표한 '2010년 세계 경쟁력 연감'에서는 27위까지 하락했다. 이렇게 경쟁력이 추락한 원인이 잃어버린 20년에 있다는 이야기는 오래전부터 나왔다. 일본 경제가 장기적인 디플레이션 상황에서 빠져나오지 못하고 있고, 막대한 재정 적자를 끌어안고 있으며, 여기에 타국과 비교해서 법인세율이 높기 때문에 기업이 활력을 내지 못한다는 분석이다.

또 최근 들어 갈라파고스화라는 말을 자주 듣게 된다. 남아메리카의 갈라파고스 제도에 서식하는 코끼리 거북과 이구아나 등은 바다로 둘러싸여 완전히 폐쇄된 환경 속에서 독특하게 진화해 왔는데, 세계의 추세와 동떨어지게 진화해 온 일본 기업의 기술력이 마치 갈라파고스의 동물들을 연상시킨다고 해서 나온 말이다. 이 갈라파고스화의 전형적인 사례가 휴대 전화로, 높은 기술력과 서비스를 보유하고 있음에도 일본 국내 시장에서만 통하는 특이한 형태로 진화한 결과 세계 시장과는 커다란 괴리가 생겨 버리는 바람에 세계 표준이 되지 못했다. 갈라파고스적으로 진화한 일본 기술은 휴대 전화만이 아니다. 산업용 로봇과 비디오 게임, 가라오케, 애니메이션 등 일일이 열거하기도 힘들만큼 많다. 이와 같이 일본의 강력한 기술력과 경쟁력이 독자적으로 진화한 결과 강점이 약점이 되었고, 그 영향으로 일본의 경제력도 크게 저하되어 지금까지 당연시되던 종신 고용 제도나 연공서열에 따른 임금 체계, 인사 제도 같은 것들까지 흔들리게 되었다. 과거에는 먼저 외국에서 개발된 것이 일본에서 개량, 진화되어 글로벌 상품이 된 경우도 적지 않았다. 이렇듯 일본의 제조 기술은 세계적으로도 커다란 강점이었다. 그러나 이를 제대로 살리지 못한 탓에 지금은 갈라파고스라는 비아냥거림을 당하고 있다. "일본은 전략이 없다."는 세간의 평가처럼 독자적으로 진화한 기술이나 서비스, 상품을 세계에 확산시키는 솜씨가 세련되지 못하다.

일본의 휴대 전화는 전자 부품의 소형화와 경량화를 기본 바탕으로 수많은 기능을 추가하며 항상 몇 년 앞을 내다보고 발전해 왔다. 통신 인프라도 10조 엔 이상을 들여서 정비하는 가운데 선진성을 살려 세계 시장에 진출하는 전략성이 필요하다. 기술력은 있지만 비전과 전략이 없는 주먹구구식 해외 진출을 지양하고 일본 국내 시장과 세계 시장을 끊임없이 주시해야 한다. 현재 유럽의 통신 기업은 중장기적인 비전을 바탕으로 사업을 전개하고 있다. 일본의 휴대 전화 보급률은 거의 100퍼센트에 이르렀다고 하는데, 최근의 저출산 고령화 사회를 생각하면 일본 국내 시장이 더 성장할 가능성은 거의 없으므로 남은 길은 신흥국을 비롯한 해외 시장에 진출하는 것뿐이다. 일본의 통신 업계와 휴대 전화 업계는 기술력은 뛰어나지만 '세계 표준을 선점하는' 전략을 구사하지 않고 일본 표준에 집착한 탓에 세계에서 고립되고 말았다. 앞으로의 과제는 다음 세대를 선도할 수 있는 기술을 어떻게 세계에 확산시키느냐가 될 것이다. 물론 이것은 다른 업계에도 해당되는 이야기다. 1990년대 이후 일본은 기술과 기업 전략, 비즈니스 모델, 산업 구조 등에 대해 국가적인 시점에서 과제를 파악하지 못한 채 지금에 이르렀다는 지적을 받고 있다. 지금이야말로 한시바삐 전략을 다시 세워야 할 때다.

5
어느 동네 공장의 이야기에서 배워야 할 점

2008년 4월 27일 자《니혼게이자이신문》사설에 중소기업, 그
것도 특정 회사가 소개되었다. 그럴 만도 했던 것이, 매우 드문
사례였기 때문이다. 그 주인공은 내가 잘 아는 에비나 전화 공
업(Ebina Denka Kogyo Co., Ltd)이었다. 다음은 사설의 내용
을 인용한 것이다.

　　일본의 중소기업이 시련의 계절을 맞이하고 있다. 경제산
업성의 중소기업 백서 2008년 판에 따르면 중소기업의 체감 경
기는 과거 2년 동안 악화일로를 걷고 있다고 한다. 그 이유 중
하나는 석유 등 원재료의 가격 상승이다. 원재료의 매입 가격이
상승해도 그것을 제품 가격에 전가하기가 어려워 수익이 압박
을 받고 있다. 도산하는 중소기업이 조금씩 늘고 있는 것도 마
음에 걸린다.

　　전국에 약 340만 개가 있는 중소기업은 일본 경제를 밑바
닥에서 지탱하는 존재다. 한 줌밖에 안 되는 대기업의 실적이
아무리 호조를 기록해도 340만 개에 이르는 중소기업이 활기
를 잃는다면 경제는 침체된다. 그러므로 중소기업의 활성화는

매우 중요한 과제다.

† 海老名延郎: 현재는 에비나 노부오(海老名信緒)로 개명했다.

　　제조업 계열의 중소기업이 나아 가야 할 방향은 기술 개발력의 강화다. 니치마켓(niche market, 틈새시장) 분야를 노리고 그곳에서 1위를 지향한다. 그런 높은 뜻을 품는 중소기업이 많이 등장한다면 '대기업의 도급에만 의지하는 임금이 낮은 기업'이라는 이미지도 바뀔 것이다.

　　사원 약 100명의 에비나 전화 공업(도쿄 오타 구)은 도금 업계에서는 유명한 존재다. 그 일례로, 그들의 첨단 도금 기술은 연료 전지의 개발에도 없어서는 안 되는 기술이기 때문에 자동차 대기업의 기술자가 빈번히 찾아올 정도라고 한다. 기술부장을 겸임하고 있는 에비나 노부오† 사장은 "경기 악화는 오히려 기회입니다."라고 지적했다. 대기업이 채용을 줄이는 불황기에는 우수한 인재가 중소기업의 문을 두드리기 때문이다.

　　에비나 전화 공업은 평범한 동네 공장이었는데, 엔화 강세로 일감이 급격히 줄어들자 기술 지향으로 방향을 전환했다. 이렇듯 경영자에게 비전과 뜻이 있다면 규모가 작더라도 활로를 개척할 수 있다. IT(정보 기술)화된 현대에는 중소기업도 얼마든지 세계에 정보를 발신하고 해외 기업과 거래할 수 있다.

　　　　　　(이상《니혼게이자이신문》2008년 4월 27일 자 조간에서 발췌)

　　이와 같이 에비나 전화 공업은 규모는 작지만 활기가 있는 기업으로 소개되었다. 앞에서도 이야기했듯이, 우리가 연구하는 표면 처리를 중심으로 사업하는 기업은 과거에 4000개가 넘었던 적도 있지만 최근 10여 년 사이에 폐업하거나 통합되어 2000개 이하로 줄어들었다. 몇 명 정도로 운영하던 이른바 가내 수공업 회사가 통합되는 것은 당연한 흐름이라 쳐도 상당히 큰 기업까지 폐업하는 현실에는 안타까운 기분이 든다. 그런 기업은 도급처로서의 대응력, 기술 전개력, 그리고 새로운 기술을 습득하는 능력이 부족했던 것이리라. 반대로 크게 약진한 기업은 기술력을 바탕으로 항상 도전 정신을 발휘해 적극적으로 사업을 전개한 결과 성공할 수 있었다. 그 대표적인 기업이 바로 에비나 전화 공업이다.

지금으로부터 약 30년 전, 대학원을 수료한 에비나 노부오 사장은 아버지가 경영하는 표면 처리 공장을 이어 나갔다. 그는 앞치마와 작업복, 고무장갑, 장화를 착용하고 작업하는 현장을 보면서 현재의 공장 경영 방식으로는 미래가 없다고 생각해 기술력을 높이는 동시에 도급 산업으로부터 탈피할 방법을 궁리했다. 그는 먼저 지금의 하이테크노에서 여는 상급 표면 처리 강좌(당시는 나의 은사인 나카무라 미노루 교수가 추진한 JAMF 강좌)에 참가해 1년 동안 표면 처리 전반에 대한 강의를 청강했다. 또 당시 매년 실시하던 미국 중심의 해외 연수에도 참가했는데, 이 해외 연수를 계기로 나와 에비나 사장의 교류가 시작되었다. 이것은 나에게나 에비나 사장에게나 귀중한 만남이었다. 그 후 에비나 사장은 미국 시찰과 우리와의 기술 교류를 통해 기업 경영, 기술 개발의 방향성, 관련 기업과의 협력 등에 대한 자신의 생각을 키워 나가며 미래 구상을 구축했다.

먼저 그는 기존의 동네 공장이라는 이미지를 불식하고자 범용품의 도금 라인을 전자파 실드의 도금 라인으로 변경했다. 또한 당시 나의 연구실에 있던 분석 장치를 전부 똑같이 구입해 감과 경험에 의존하던 현장의 작업 방식을 분석과 관리를 통해 품질을 안정시키는 방식으로 개혁해 나갔다. 그리고 이 개혁을 실현하려면 대학을 졸업한 기술자가 필요하다며 적극적으로 구인 활동을 펼쳤다. 그뿐만이 아니다. 그는 학회 소위원회의 일을 돕는 것부터 시작해 학회 활동에 적극적으로 참가함으로써 표면 처리 기술자의 처지에서 편집과 기획에 참여하게 되었다. 이와 같은 열의와 노력이 있었기에 닛케이의 사설에 소개된 바와 같이 지금은 표면 처리 업계를 선도하는, 앞으로 중소기업이 어떻게 살아남아야 할지를 상징하는 기업으로 성장한 것이다.

6
직전 취소가 신용에 끼치는 악영향

나는 기회가 있을 때마다 "회의만 하는 회사는 이익을 내지 못한다."라고 쓴소리를 한다. 실제로 기업 중에는 전화를 걸 때마다 교환 업무를 맡은 여성으로부터 "지금은 회의 중입니다. 언제 끝날지는 잘 모르겠습니다."라는 대답만 들을 뿐 당사자와 통화하기가 하늘의 별 따기인 곳이 있다. 오전 내내 회의를 한 것도 모자라 오후에도 회의를 계속하는 사람도 있다. 일주일에 하루나 이틀은 회의만 하는 날이 있는 모양이어서, 그런 날에는 상대와 전혀 연락이 되지 않는다. 그래서 이번에는 이메일로 연락을 시도하지만, 이 역시 아무리 이메일을 보내도 읽지를 않는지 답장이 오지 않는다. 결국은 다시 "이메일을 보냈습니다만……."이라고 전화를 건다. 그 확인 전화가 연결되기까지 2주가 걸리는 경우도 있다.

이렇게 시간이 지나가 버리면 꼭 하고 싶은 말이 있었다가도 왠지 맥이 풀려서 열의가 사라진다. 참으로 어처구니없는 일이다. 또 중요한 약속을 해 놓고서는 당일이 되어서야 "미안합니다. 빠질 수가 없는 중요한 회의가 생겨서 취소해야 할 것 같습니다."라고 말하는 사람도 이따금 볼 수 있다. 물론 그쪽도 사

젊은 공학도에게 전하는 50가지 이야기

정이 있어서 직전에 취소했겠지만, 과거에도 이런 일이 여러 번 있었던 사람은 신용할 수 없다. 약속을 우습게 생각하거나 우선 순위를 낮게 둔다는 의미이기 때문이다. 물론 나한테 매력이 없어서 중요성이 격하된 것 같다는 반성도 한다. 다만 경영을 맡고 있는 임원의 경우 이미 이쪽이 일정을 잡아 놓았는데 직전이 되어서야 갑자기 취소하는 것은 어지간한 이유가 없는 한 용납될 수 없는 일이다. 그런 부류의 사람은 아마도 직원들의 신뢰를 얻지 못할 것이며 높은 평가도 받지 못할 것이다. 이것은 기업에 커다란 마이너스 요인이다.

이 사례를 자신에게 대입해 과거를 되돌아보자. 혹시 똑같은 행동을 하고 있는 독자가 있다면 지금 당장 고치기 바란다. 다른 기업 사람과 한 약속을 지키지 않는 사람, 학회의 임원을 맡고 있으면서 정기적으로 열리는 임원 회의에 이 핑계 저 핑계를 대며 결석하는 일이 많은 사람, 당일에 갑자기 약속을 취소하는 사람이 있다면 깊이 반성해야 한다. 물론 이 책을 읽는 독자 여러분 중에 그런 부류의 사람은 없으리라고 생각하지만.

7
기업을 확실히 쇠퇴시킬 수 있는
'회의 기법'이 있다

나는 회의가 많은 회사를 보면 회의를 진행하는 방식에 문제가 있는 것은 아닌가 하는 걱정이 든다. 그래서 그 회사의 경영진이 아님에도 조금이라도 개선해 주려고 시도하지만, 그럴 때마다 경영에 간섭하지 말라며 거절당하기 일쑤다. 최근 들어 사외이사라는 제도를 통해 기업에 새로운 바람을 불어넣어 성공한 사례도 있는데 말이다.

기업의 규모가 어중간하게 커지면 기존의 회의 형식을 그대로 사용하고 있는데도 예전 같은 성과를 얻지 못하는 경우가 많다. 기업의 규모가 커지고 임원도 늘어남에 따라 경영자의 생각이 제대로 공유되지 않기 때문이다. "기업은 사람이다."라는 말이 있듯이, 궁극적으로는 직장에서 함께 일하는 직원들을 어떻게 성장시키고 즐거움과 흥분을 주는 환경을 구축하느냐가 가장 중요하다. 그러나 제조업을 중심으로 한 표면 처리 관련 기업을 보면 대부분 직원에게서 상당한 중압감이 느껴지며, 경영자와 의식의 괴리가 크다는 인상을 받는다. 회사를 견학할 때 직장 환경을 보면 한눈에 알 수 있다. 직원들이 인사를 하지 않는다, 눈이 반짝이지 않는다, 작업복이 구깃구깃하고 걸음에 힘이 없다, 고개를 숙인 뒷모습에서는 활기가 느껴지지 않는다, 화장실이 더럽다 등등. 여기에 임원은 보수적이며 예스맨만 곁에 두려고 한다. 아닌 것은 아니라고 말할 수 있는 강직한 사람의 의견에 귀를 기울일 정도의 도량이 없으면 회사는 점점 쇠퇴한다.

매주 열리는 회의 중에서 만족스러울 만큼 내용이 알찼던 회의는 얼마나 있었을까? 단순히 보고회로 끝나 버리거나 지난주에 했던 이야기를 또 하며 시간만 잡아먹을 뿐 결론은 나오지 않는 등 알맹이가 없었던 회의가 훨씬 많지 않을까?

일반적으로 회의를 열기 전에 미리 의제(어젠다)와 참고자료를 배포해 놓으면 효율이 높아질 뿐만 아니라 회의를 여는 이유가 명확해진다. 특히 의제를 명확히 하고 시작 시간과 종료 예정 시간을 명기해 놓을 필요가 있다. 이렇게 시간을 정해 놓지 않으면 의미 없는 회의가 한없이 길어지기 쉽다. 또 각각의 주제에 대해 어디까지 토론하고 무엇을 결정할지 설정해 놓지 않으면 의미 없이 시간만 낭비하는 생산성이 낮은 회의가 되고 만다. 그런 의미에서 의장을 맡은 사람의 솜씨가 회의의 성패를 크게 좌우한다.

나는 우리 연구소의 경우 회의가 원활히 진행되고 있다고 자부한다. 회의를 시작하기 전에 미리 참석자 전원에게 의제를

이메일로 배포한다. 회의 중에는 논의 내용을 컴퓨터에 실시간
으로 입력하며, 참가자가 항상 볼 수 있도록 프로젝터로 영사한
다. 그러면 명기된 목적이 어디까지 논의되었는지, 어디까지 달
성되었는지, 결론은 무엇인지 등을 실시간으로 알 수 있다. 또
회의가 끝나면 그 의사록을 프로젝터로 영사해 모두가 함께 확
인하며, 다음 회의 날을 반드시 그 자리에서 결정한다.

　　일본의 학교 교육의 단점 중 하나는 토론하는 습관을 심어
주지 않는다는 점이다. 그 결과 많은 기업에서 극히 일부의 사
람만이 토론에 참여하는 모습을 볼 수 있는데, 침묵을 지키며
회의가 빨리 끝나기만 기다리는 사람이 많다면 그 기업은 점점
쇠퇴할 것이다.

8
이메일의 답신을 빨리하는 사람일수록
크게 활약한다

대학에서든 산업계에서든 이메일로 연락했을 때 재빨리 응답하는 사람일수록 활약도가 높다. 나는 이메일을 보낼 때 휴대 전화를 사용하지는 않지만, 대학의 사무실과 실험실, 연구소의 사무실, 집에 각각 컴퓨터를 둬서 언제라도 이메일을 받고 보낼 수 있는 상태를 만들어 놓았다. 또 해외 출장은 물론이고 국내에서 1박 이상을 할 경우는 항상 이메일을 확인할 수 있도록 반드시 노트북 컴퓨터를 들고 간다. 휴대 전화로 전송하면 더 편리할지 모르지만, 스팸 메일이 많아서 휴대 전화는 이메일 기능을 사용하지 않고 오로지 발신 전용 전화로 사용해 왔다.

최근에는 자동차도 블루투스를 지원하는 등 쾌적성이 높아져서 핸즈프리로 통화를 할 수 있다. 나는 혼자만의 공간에 있으면 머리가 맑아져서 대화가 더 잘되는 느낌이 드는데, 그럴 때마다 세상 참 좋아졌다고 감탄한다. 덕분에 집에서 대학이나 연구소로 이동할 때 학생들이나 직원들, 기업 사람들에게 연락함으로써 시간을 효과적으로 사용할 수 있다.

나는 조금 성격이 급한 편이라 머릿속에 어떤 생각이 떠오르면 즉시 이메일을 보내거나 전화를 한다. 그런데 몇 번을 연락해도 전화가 연결되지 않거나 이메일을 해도 답장을 늦게 보내는 사람이 있다. 요즘 같이 속도를 중시하는 시대에 이렇게 연락 한 번 하기가 어려운 사람은 어지간히 대단한 인물이 아닌 이상 겸허히 반성해야 한다고 생각한다.

9
여러분의 회사는 내실 있는 연수를 하고 있는가?

제조업을 중심으로 많은 기업이 국제 경쟁력을 높이고자 작업의 효율화, 집약화를 꾀하고 있다. 또 인건비 절감을 위해 정사원을 줄이고 종신 고용제에서 임기제, 계약제, 파견 사원으로 채용 형태를 전환하고 있다. 이와 같은 경향은 기업을 지키려면 어쩔 수 없는 일이며, 반복 작업이 중심인 영역에서는 그렇게 해도 문제가 없을 것이다. 그러나 그것이 제조 현장에서 품질 저하의 주요 원인이 되고 있다면 큰 문제다. 게다가 이런 경향이 지금까지 일해 온 직원들의 의욕까지 크게 저하시킨다면 기업의 수익은 더욱 악화된다. 그런데 요즘은 이런 사실을 깨닫지 못하는 경영자가 많은 것 같아 걱정이다.

　표면 처리 업계의 제조 현장에서는 화학 반응이 주체가 되기 때문에 기계를 중심으로 한 공정 관리만으로는 부족한 경우가 많다. 화학 반응에 대한 기초적인 소양이 없이 그저 매뉴얼에 적힌 대로 기계적으로 작업하다가는 최악의 경우 불량품만을 만들 위험성조차 있다. 또한 상사 혼자서 시끄럽게 잔소리를 한다고 해서 불량률이 낮아지지는 않으며, 만성적으로 불량품을 만들게 된다. 그러므로 기술 계열의 사람은 화학 반응을 제대로 이해하고 날카롭게 관찰하는 눈을 가져야 하며 초기 교육을 통해 이런 의식을 심어 줘야 한다. 그리고 보면 예전에는 모든 기업이 이런 목적의 초기 교육을 실시해 성과를 거뒀는데, 요즘은 그럴 여유가 없어진 모양이다.

얼마 전에 한 기업이 내게 일주일 예정으로 기초적인 교육을 부탁했다. 교육을 받으러 온 사람은 공정 관리를 맡고 있는 기술 책임자였다. 그래서 나는 당연히 기초적인 소양을 어느 정도 갖춘 사람일 것이라고 생각했는데, 이야기를 나눠 보니 화학에 대한 지식이 거의 없었다. 그저 약품 제조 회사의 약품과 장치 제조 회사의 장치를 구입해서 매뉴얼에 따라 관리했던 것이다. 그런 탓에 표면 처리에 대한 기초적인 내용을 강의해도 잘 이해가 안 되는 듯 별다른 반응이 없었다. 지금까지 나는 대학에서 학생들에게 표면 처리에 대한 기초적인 내용을 강의해 왔고, 학회에서도 세미나 강사로서 기업의 기술자들을 상대로 2시간 정도의 강의를 수없이 했다. 내 딴에는 그런 경험을 바탕으로 그 기술자가 재미와 흥미를 느끼도록 강의하려고 노력했지만, 도무지 효과가 없었다.

며칠 뒤, 이번에는 다른 기업에서 입사 8년차라는 기술자 한 명이 교육을 받으러 왔다. 몇 분 정도 이야기를 나눠 보니 이 사람은 화학에 대한 소양도 상당하고 경험도 있으며 '하나를 들으면 열을 아는 사람'임이 직감적으로 느껴졌다. 그러므로 그 사람은 짧은 기간이었지만 이런저런 새로운 것을 교육하는 과정에서 내가 이야기해 준 내용을 힌트 삼아 회사로 돌아가면 곧바로 검토에 들어갈 것이다. 직원의 능력이 우수한 기업과 직원의 의식이 낮은 기업 사이에 큰 차이가 벌어지고 있음을 뼈저리게 느낀 며칠이었다.

대발견을 하는 데는 철칙이 있다

일상의 'Do and see' 자세가 중요하다.
실험에서 얻은 결과 속에는
반짝이는 현상이 포함되어 있다.

제 2 장

10

실패한 데이터 속에 대발견이 숨어 있다

전 세계 연구자들의 노력으로 여러 가지 기술이 만들어지고 있지만, 이 가운데 실제 제품이 되어 우리의 손에 도달하는 것은 극히 일부에 불과하다. 비커 속에서는 재현이 가능하지만 막상 공장에서 대량 생산을 하려고 하면 활용이 안 되는 기술이 굉장히 많다. 제품을 만들 때는 먼저 기초적인 연구를 하고 이에 대한 응용 연구를 한 다음 대량 생산으로 이어지는 실용화의 단계를 거친다. 그러나 응용과 실용화 사이에는 자금 조달과 생산 효율의 개선 등 수많은 과제가 가로막고 있기 때문에 뛰어넘기가 참으로 어렵다. 오죽하면 데스밸리(죽음의 계곡)라는 말이 나올까? 그런 가운데 우리 연구실에서는 지금까지 실용화 실험에 주력해, 활용 가능성이 보이면 즉시 공장에서 실용화해 왔다.

벌써 20년 가까이 된 일인데, 어떤 학생이 제출한 실패 데이터가 있었다. 그 학생은 인체에 해로운 포르말린을 사용하지 않는 플라스틱 도금 기술의 개발을 연구 주제로 삼았는데, 연구를 시작한 지 1년 뒤에 "별의별 방법을 다 써 봐도 안 됩니다."라며 사진을 한 장 가지고 왔다. 표면에 미세한 가시가 잔뜩 돋은 듯한 사진이었다. 그런데 그 사진을 본 순간 내 머릿속에서 어떤 생각이 번뜩였다. 그 학생의 연구에는 쓸 수 없지만 다른 목적에는 응용할 수 있겠다는 생각이었다. 그 후 연구를 진행해 실용화에 성공한 이 기술은 전 세계의 CPU(Central Processing Unit, 컴퓨터의 중앙 처리 장치) 소재를 세라믹에서 플라스틱으로 바꾸는 계기가 됐다.

이 기술을 개발했을 당시는 이미 반특허(Anti-Patent)의 시대에서 특허 중시(Pro-Patent)의 시대로 넘어간 뒤였는데, 간토가쿠인 대학에는 아직 지적 재산권을 담당하는 곳이 없었기 때문에 개인적으로 특허를 취득하는 수밖에 없었다. 그래서 관련 기업과 공동으로 특허를 출원했는데, 그 결과 거액의 특허료가 들어왔다. 나는 특허료를 장학금으로 사용하도록 전부 대학에 기부했다. 그 후 오랫동안 학생들과 같이했던 연구가 좋은 평가를 받아 가나가와 현 문화상을 받았을 때도 상금을 전부 대학에 기부했다. 또 업계에서 나온 축하금 제의를 전부 사양하고 가능하면 표면 공학 부문의 대학원에 진학하는 학생들을 위한 장학금으로 기부해 달라고 부탁했더니 거액의 기부금이 모였다. 게다가 졸업생들도 이 취지에 공감해 준 덕분에 매년 대학원 진학자 네 명에게 수업료의 상당액을 장학금으로 줄 수 있게 되었다. 2011년부터는 장학금 수혜자가 여섯 명으로 늘었고, 그 수를 더 늘리고자 현재 백방으로 노력하고 있다.

나는 평소에 산업을 발전시킬 인재를 교육할 때 이런 말을 한다. "실험에 실패란 없어. 그 안에는 틀림없이 뭔가 재미있는 현상이 숨어 있을 거야." 학생들에게 이렇게 말하며 재미있게 실험할 수 있는 환경을 만들어 왔다. 학생들과 함께해 온 연구를 실용화하는 힘의 근원에는 젊은 시절의 경험이 자리하고 있는데, 상징적인 예를 하나 더 소개하겠다. 30년도 더 전에 있었던 일이다. 작성 중이던 박사 논문을 나카무라 미노루 교수가 보고 "오, 이거 괜찮은데?"라고 말하더니 그 자리에서 새로운 공장을 짓기로 결정해 버렸다. 솔직히 아직 비커로만 실험했을 뿐이어서 이것이 정말로 실용화될 수 있을지 내심 겁이 났다. 그러나 그 공장은 한때 주력 제품을 만들어 냈고, 그 기술은 세계적으로도 높은 평가를 받았다. 실패를 두려워해서는 앞으로 나아가지 못한다.

11
'세렌디피티'의 의미를 재인식하자

세렌디피티(Serendipity)라는 말이 있다. 이것은 '우연히 무엇인가를 발견하는 능력'이라는 뜻이다. 세렌딥(스리랑카)의 세왕자에 대한 동화에서 유래했는데, 왕의 명령으로 여행을 떠난 왕자들이 우연히 여러 가지 발견을 하는 모습에서 우연히 생각지도 못했던 발견을 하는 능력이나 행운을 부르는 힘을 표현하기 위한 조어가 되었다고 한다. 앞에서 소개한 바와 같이 내가 학생의 실패 데이터에서 대발견을 한 것은 바로 세렌디피티의 힘인지도 모른다. 또 이나모리 가즈오(稻盛和夫) 씨의 젊은 시절의 일화도 여기에 해당하지 않을까 싶다.

이나모리 씨는 젊었을 때 포스테라이트라는 재료를 개발했다. 당시는 브라운관 방식의 텔레비전이 일본의 가정에 갓 보급되기 시작한 시기였는데, 포스테라이트는 전자총의 절연 부품에 사용할 재료로 안성맞춤이었다. 그런데 이나모리 씨는 개발 과정에서 원료인 포스테라이트 분말을 어떻게 성형하느냐는 문제에 부딪혔다. 푸석푸석한 분말로는 모양을 만들 수가 없기 때문이다. 당시는 바인더[†]로 점토를 사용했는데, 이렇게 하면 아무래도 불순물이 섞일 수밖에 없었 † 소재와 소재를 연결해 주는 고리다. 그래서 자나깨나 이 '바인더 문제'를 어떻게 해결할지 고심하던 어느 날, 생각지도 못한 일이 일어났다. 실험실을 걷다가 무엇인가에 발이 걸려 넘어질 뻔했는데, 문득 아래를 내려다보니 실험에 사용하는 파라핀 왁스가 신발에 덕지덕지 붙어 있었다. 이것을 보고 "누구야! 이런 곳에 왁스를 놓은 게!"라고 소리치려던 순간, 머릿속에서 번쩍하며 아이디어가 떠올랐다. 이런 것이 바로 세렌디피티다. 이나모리 씨는 즉시 수제 냄비에 파인세라믹 원료와 파라핀 왁스를 넣고 열을 가하면서 섞은 다음 틀에 넣고 성형해 봤다. 그랬더니 깔끔하게 모양이 만들어졌다. 게다가 이것을 고온의 가마에 넣고 굽자 바인더인 파라핀 왁스가 전부 타서 없어졌기 때문에 완성품에는 불순물이 전혀 남지 않았다. 그렇게 고민하던 문제가 단번에 해결된 것이다.

내가 학생들에게 자주 하는 말이 있다. "실험에 실패는 없다.", "생각만 하지 말고 일단 시도해 봐!", 세렌디피티와 만나려면 이런 마음가짐도 중요하다는 것이 나의 생각이다. 발견에는 우연이 따르기 마련이다. 그러나 과연 우연만으로 새로운 발견을 할 수 있을까? 나는 40년이라는 세월 동안 몇 가지 발견을 했는데, 예상 밖의 실험 결과가 새로운 발견으로 이어졌던 것은 사실이다. 다만 왕성한 호기심과 깊은 통찰력이 없으면, 그것을 받아들일 마음의 준비가 되어 있지 않으면, 발견의 계기가 되는 현상이 눈앞에서 일어나도 보지 못한다. 이를 보려면 '일단 시도해 보는' 자세가 중요하다. 실험에서 얻은 결과 속에는 반짝이는 현상이 포함되어 있다. 이것을 놓치지 않고 찾아내는 요령이 중요하다. 나는 이 점을 학생들에게 알리고 있다. 이것은 송이버섯을 찾아 산속을 돌아다니는 사람의 이야기와 비슷하다. 흔히 송이버섯이 군생하는 곳을 1000명이 보지 못하고 지나친다고 한다. 그곳을 지나치지 않으려면 평소에 '일단 시도해 보는' 자세를 습관화해 머릿속에 데이터와 경험을 쌓아 두려고 의식하는 것이 중요하다.

12
연구 비용과는 무관한 대발명도 있다

아인슈타인(Albert Einstein, 1879~1955)에게 노벨상을 안긴 광전 효과 연구나 인류 역사상 가장 중요한 발견이라고 해도 과언이 아닌 상대성 이론의 연구에는 거의 연구 비용이 들어가지 않았다. 특수 상대성 이론을 발표했을 당시 그의 직업은 특허청 직원이었다.

인텔사의 8비트 CPU인 8080용 베이식(BASIC) 언어는 빌 게이츠(Bill Gates)의 대학 시절 친구인 폴 앨런(Paul Allen)이 컴퓨터에 내장할 프로그램을 만들지 않았음을 깨닫고 비행기 안에서 만들었다고 한다.

또 웹상에서 다양한 서비스를 제공하는 사이트인 '하테나'는 대기업이라면 제작에 수억 엔이 들었겠지만 젊은 기술자가 짬이 날 때 틈틈이 만들었기 때문에 그다지 돈이 들지 않았다. 하테나의 서비스 중 하나인 하테나 북마크는 온라인에서 북마크(즐겨찾기)를 보존, 관리, 공유할 수 있는 온라인 북마크 서비스다. 컴퓨터의 브라우저에 개별적으로 저장해 놓던 북마크를 인터넷상에서 보존, 관리할 수 있으며 공유도 가능하다. 하테나 북마크를 활용하면 자주 들어가는 사이트나 집에서 인터넷 서핑을 하다가 발견한 재미있는 기사의 북마크를 회사나 학교, 또는 휴대 전화에서 이용할 수 있다.

이처럼 아이디어를 중심으로 한 커다란 발견이나 발명은 가장 효율적이며 하늘이 인간에게 내려 준 재능이다. 이러한 사례를 보고 생각해야 할 점이 있다. 획일적으로 예산을 줄이지 말고, 비용을 들여야 하는 분야에는 과감하게 돈을 쓰며, 위의 예와 같이 젊은 연구자가 꿈과 희망을 품을 수 있는 환경을 반드시 조성해야 한다는 것이다. 공적 예산이라고는 구경해 본 적도 없는 수많은 연구자와 기술자들이 자신의 분야에서 열심히 노력하고 있다. 그들의 손에서도 세계를 바꿀 발명, 발견, 제품이 다수 탄생할 것이므로 무시해서는 안 된다.

13
회사에 바라는 것은 '기술'과 '꿈'이라는 두 바퀴다

인간의 능력이나 행동을 '선천적'이냐 '후천적'이냐의 이분법적 구도로 바라보는 것은 의미가 없다. 맷 리들리(Matt Ridley)의 『이타적 유전자』(신좌섭 옮김, 사이언스북스)에 따르면 유전자는 어머니의 뱃속에서 아이의 장기와 뇌를 만들라는 명령을 내리지만 태어난 뒤에는 환경에 맞춰 유연하게 자기 개조를 거듭한다고 한다. 이처럼 환경에 유연하게 대응하기에 진화가 가능한 것이다. 실제로 어떤 사람이 환경이나 경험을 통해 크게 바뀌어 사회에 공헌하거나 놀라운 업적을 남긴 예는 셀 수 없을 만큼 많다.

이것은 기업의 경영도 마찬가지다. 많은 기업에서 창업자는 기업 이념을 만들고 회사에 공헌해 왔다. 그리고 유전자에 해당하는 창업자의 생각을 고집하지 않고 미래에 위기감을 품으며 경영 환경에 따라 대담하고 신속하게, 민감하게, 그리고 유연하게 모습을 바꾸는 기업은 창업자가 물러난 뒤에도 안정적으로 운영되고 있다.

모든 산업 영역이 다 마찬가지지만, 표면 처리 관련 업계에서도 기업마다 기술 격차가 벌어지고 있다. 나는 1960~

1970년대에 가나가와 현에서 시작된 기업 순회 지도를 통해 수많은 현장을 지켜봤다. 그러나 기업의 기술력이 높아지고 일본이 고도 성장기에 접어들자 현은 지도 역할을 마쳤고, 대부분의 기업이 케미컬 서플라이어의 지도를 좇게 되었다. 그 뒤에는 나도 기업의 현장을 볼 기회가 거의 없었다. 아니, 내가 의도적으로 보지 않았다고 말하는 편이 정확할지도 모르겠다. 특히 귀금속 관련 공장이나 전자 부품 관련 공장은 기밀이 많으리라 생각해서 견학을 삼갔다. 기업도 '대학교수한테 현장을 보여 준들 정확한 조언을 듣기는 어려울 테고 기밀 사항도 있으니……'라고 생각한 곳이 많았을 것이다.

그런데 최근 들어 도금 제품에도 높은 품질이 요구되기 시작하면서 지푸라기라도 잡으려는 심정인지 상담을 구하러 나를 찾아오는 기업이 늘어났다. 그래서 나는 '과연 기술의 유전자는 고도 성장기를 거치는 동안 자기 개조를 거듭하며 발전해 왔을까?'라는 궁금증도 풀 겸 몇몇 공장의 현장을 둘러봤는데, 아무래도 그런 것 같지가 않다. 몇몇 회사를 견학했을 때 제일 먼저 깨달은 점은 현장을 관리하는 기술자의 표정이 어둡고 눈에서 빛이 나지 않는다는 것이었다. 고도 성장기와 비교하면 현장의 모습이 크게 바뀌었다.

먼저, 파견 사원이 많다는 데 놀랐다. 아마도 가격 경쟁을 위해 인건비를 줄이려는 조치리라. 물론 반복적이고 딱히 고도의 지식이 없어도 되는 일이라면 어쩔 수 없다. 그러나 화학의 영역은 그렇지가 않다. 만약 인원 감축과 효율화를 꾀한다면 먼저 그 나름의 대책을 세워 놓아야 한다. 안 그러면 결국은 무책임 체제가 되어 불량품이 산더미처럼 나오게 된다. 불량품이 나오면 상사는 마구 화를 내며 원인을 규명하라고 닦달하고, 중견 기술자는 매일 같이 시달리며 급한 불만 끄는 식의 대응만을 하게 된다. 그러다 보니 결국은 악순환에 빠져 불량품 대책이 되지 못한다. 최근의 중견 기술자들은 여유가 없고 항상 고개가 처져 있으며 눈에서 생기가 느껴지지 않는다. 꿈이 없다.

나는 인원 감축을 무작정 반대하지는 않는다. 사람을 많이 쓰지 않아도 되는 분야라면 줄여도 된다. 다만 아무런 대책도 없이 인원만 줄이니까 쓴소리를 하는 것이다. 가령 화학 반응이 중심이므로 센서를 사용한다, 그 센서를 개발한다, 불량품이 나오는 원인을 철저히 밝혀낸다 등의 대응이 필요하다. 그러나 실제로는 불량 원인 규명이 핵심에서 벗어나 있고, 두더지잡기처럼 드러난 결과에만 대처할 뿐 근본적인 대책은 세우지 못하고 있다. 다들 기본을 망각하고 있다. 기술이나 기능이 제대로 전승되지 않고 있다. 여유가 없다. 꿈이 없다. 이런 것들이 불량품의 산을 만드는 커다란 원인이 되고 있다는 생각을 감출 수 없다.

케미컬 서플라이어가 약품을 납품하는 제조 공장에 서비스와 기술을 제공하는 것은 좋은 현상이지만, 이쪽도 최근에는 세대교체가 진행되는 과정에서 선배들의 기술 노하우가 제대로 전승되지 않는 듯하다. 이대로는 사면초가에 빠져 탈출구가 사라져 버릴 것이다. 앞으로는 더욱 품질 높은 제품이 요구될 터이므로 경영자는 과감하게 기술에 중점을 둔 대책을 세울 필요가 있다.

14
사회 문제는 기술 혁신의 씨앗이다

최근 들어 ABI라는 회사의 냉동 장치가 유통 업계와 식품 업계의 주목을 받고 있다. 자기장으로 물 분자를 진동시켜 영하 10도 전후에서도 얼지 않는 과냉각 상태를 만든 다음 영하 20도 이하에서 세포 전체를 단번에 냉동시키는 방식이다. 일본과 미국, 유럽에서 특허를 취득해 5년 정도 전부터 판매를 시작했다. 이 방식을 사용하면 세포막을 파괴하지 않고 냉동시킬 수 있기 때문에 풍작으로 채소 등의 수확량이 증가했을 때 지금처럼 가격 조정을 위해 폐기할 필요 없이 품질을 유지한 상태로 보관해 뒀다가 필요할 때 출고할 수 있을 것으로 기대되고 있다.

이 장치가 식품 유통의 혁명으로 평가 받는 이유는 가공품도 높은 품질로 냉동 보존할 수 있다는 점인데, 햄버거나 스테이크를 구운 뒤에 냉동할 수 있으며 군옥수수도 냉동 보존이 가능하다고 한다. 그리고 그것을 가정이나 점포에서 전자레인지로 해동만 하면 맛있게 먹을 수 있다는 것이다. 요리에 들어가는 수고가 줄어들기 때문에 대기업에서도 비상한 관심을 보이고 있다. 현재 에히메 현의 어업 협동조합에서는 이 장치를 사용해 생선회 등의 가공품을 수도권으로 출하함으로써 매출을 늘리고 있다. 또 정육점이나 제과점, 주류 판매점에서 고기와 케이크, 청주의 저장에 활용하고 있으며, 나아가서는 장기 이식과 유전자 공학 연구에도 이용되고 있다.

이 기술이 보급되면 세상을 떠들썩하게 했던 식품의 산지나 재료, 유통 기한 등을 속이는 문제가 해결되어 마음 놓고 신선한 음식을 즐길 수 있을 것이다. 장기간 보존이 가능해져 아까운 식품을 폐기하는 일도 사라질 것이다. 그뿐만 아니라 장기 이식을 비롯해 의학 분야에도 크게 공헌할 것이다.

이처럼 커다란 사회 문제, 그것도 해결이 어려운 문제가 발생했을 때 혁신적인 기술이 개발되며 관련 기술이 주목을 받는다. 그리 적절한 예는 아니겠지만 전쟁을 계기로 20세기의 주요 기술들이 개발된 것은 분명한 사실이다. 그런 시각에서 보면 세계적인 대불황에 따른 치명적인 타격과 어려움을 극복하려하는 지금은 커다란 기회다. 지금이야말로 금융 경제를 비롯해 모든 영역에서 혁신을 위해 지혜를 짜내야 한다.

15
연구자들이여, 국내로 돌아오라

한때 제조 대국이라는 말을 듣던 일본이지만, 지금은 제조업이 활기를 잃었다. 많은 일본 기업이 세계의 생산 거점이 된 중국으로 공장을 이전하고 있다. 한편 현재 BRICs라고 불리며 주목받는 브라질과 러시아, 인도, 중국은 세계 인구의 40퍼센트가 넘는 약 26억 명의 인구를 보유하고 있으며, 전 세계 GDP에서 차지하는 비율은 아직 8퍼센트 정도에 불과하지만, 최근 평균 성장률이 6퍼센트가 넘을 만큼 빠르게 성장하고 있다. 이와 같은 배경을 감안할 때 BRICs는 앞으로 세계 경제에 커다란 영향력을 행사할 국가군(群)으로 성장하지 않을까 싶다. BRICs라는 명칭을 만든 미국의 대형 투자 은행 골드만삭스는 시뮬레이션을 통해 2040년에는 BRICs의 GDP가 주요 6개국(G6)의 GDP를 뛰어넘을 것으로 예측했다. 이 예측은 과연 적중할까? 어쩌면 이 예측을 뛰어넘을지도 모른다.

일본은 앞으로도 적극적으로 기술의 해외 전개를 추진할 터인데, 그 결과 일본 국내의 공동화(空洞化)가 촉진될 것 같아 걱정이다. 내 연구소를 떠난 졸업생 중에는 현재 중견 기술자로 활약하고 있는 사람이 많은데, 이메일로 연락해 보면 해외 출장

중이라는 대답이 돌아올 때가 많다. 그러다 보니 그들이 소속된 회사의 국내 연구소는 인원이 부족해져서 새로운 연구 개발을 제대로 진행하지 못하는 경우가 많은 모양이다. 이런 상태로는 기술력이 저하되지 않을까 우려된다. 지금까지 일본의 제조업은 우위성을 유지해 왔지만, 지금은 가격 경쟁력을 유지하기 위해 해외로 나갈 수밖에 없는 상황이다. 그러나 장기적으로는 가격 경쟁에 휘말리지 않는 높은 기술력을 개발하는 데 중점을 둬야 한다. 언젠가는 경영자도 기술 책임자도 국내 회귀가 기술 대국 일본을 유지하는 해결책임을 깨닫게 될 것이다.

16
'마리 앙투아네트의 해결책'에
현혹되어서는 안 된다

도쿄 대학의 마스코 노보루(增子曻) 명예 교수가 최근의 과학 기술 연구에 관해 뼈 있는 이야기를 했다. 생각할 점이 매우 많은 내용이라 인용하면서 설명을 추가하려 한다. 마스코 교수에 따르면 정부 기관인 종합 과학 기술 회의에서 "과학 기술의 진흥이 가장 큰 원동력이다."라는 문장으로 시작되는 '과학 기술 정책의 중점 과제'라는 제목의 문서를 발표했다고 한다. 그런데 마스코 교수는 이것에 우려를 표명했다. 과학 기술을 연구하는 현장에서 기술 진흥을 책임져야 할 기술자를 키우는 시스템은 사라지고 기술에 대한 소양이 없는 과학 연구자만 늘어나고 있다는 것이다. 또 과학 기술의 진흥을 위해서는 과학을 아는 기술자를 키워야 하는데 첨단 과학을 다루는 과학자를 키우면 자연스럽게 기술이 진흥된다고 착각하는 것 아니냐는 말도 덧붙였다.

　이어서 마스코 교수는 과학을 기술의 시종(servant)으로 삼을 필요는 있지만 결코 주인(master)으로 삼아서는 안 된다고 말하고, 기술자가 상식으로 여기는 기술에 대한 소양을 문학에 빗대어 재미있게 소개했다. 프랑스의 왕비였던 마리 앙투아네트

60　　　젊은 공학도에게 전하는 50가지 이야기

(Marie Antoinette, 1755~1793)는 민중이 당장 끼니를 때울 빵조차 없다고 하소연하자 "어머, 빵이 없으면 케이크를 먹으면 되잖아요?"라고 대답했다고 한다.[†] 너무나 민중과 동떨어진 생활을 한 탓에 "빵이 없다."라는 말의 의미를 전혀 이해하지 못했던 것이리라.

> [†] 유명한 이야기지만, 사실 마리 앙투아네트가 이런 말을 했다는 기록은 없다. 장 자크 루소의 『참회록』에 나온 이야기가 와전되었다는 설이 유력하다.
>
> [†] 금속 알루미늄 분말과 금속 산화물 분말을 섞은 것에 불을 붙이면 고온과 함께 순수한 금속이 생성되는 반응.

또 마스코 교수는 제2차 세계 대전 당시 도쿄 히데키(東條英機, 1884~1948) 총리가 "철이 부족하면 테르밋 반응[†]으로 만들면 되잖소?"라고 말했다는 일화도 소개했다. 물론 금속 알루미늄을 원료로 철광석을 환원할 수는 있다. 그러나 대량 생산을 위한 제철 기술은 될 수 없으며, 상위 재료(가치가 높은 재료)로 하위 재료(가치가 낮은 재료)를 만드는 것은 설령 가능하다 해도 기술로서는 난센스다. 이런 식의 해결책은 마리 앙투아네트의 해결책과 다를 바가 없다는 것이다.

이어서 마스코 교수는 석탄 대신 마그네슘을 사용하는 에너지 시스템을 통렬히 비판했다. 어느 국립 대학에서 제안한 것인데, 인터넷에도 소개되어 있다고 해서 검색해 봤다. 찾아보니 '마그네시아(산화마그네슘)를 레이저로 가열해 발생시킨 플라스마 속에서 금속 마그네슘의 스펙트럼을 확인할 수 있었다.'는 실험 사실을 근거로 '태양광 레이저를 사용해 연소 생성물인 산화마그네슘을 마그네슘으로 환원할 수 있다.'는 이야기였다. 태양 에너지를 저장할 수 있는 물질이라는 인류의 오랜 과제에 대해 마그네슘을 해결책으로 제안한 것이다. 물론 첨단 과학 기술을 이용하면 실험실에서 마그네슘 1밀리그램을 제조할 수는 있을 것이다. 그러나 태양광 레이저로 마그네슘 1톤을 만들기는 절대 불가능하므로 이 제안은 전혀 의미가 없다. 그런데 환경 관련 잡지에서 이것을 '마그네슘으로 태양 에너지를 운반한다. 대규모 발전소의 구상도'라는 제목으로 소개했다고 한다.

마스코 교수는 대학 당국에 "이런 '연구'는 대학의 브랜드를 손상시키니 인터넷에서 즉시 삭제하는 게 좋지 않겠습니까?"라고 민원을 넣었다. 분명히 마그네슘이라는 상위의 에너지 저장 물질(케이크)이 손에 들어온다면 석탄이라는 하위의 에너지 저장 물질(빵)에 의존하지 않아도 된다. 그러나 과학자가 첨단 과학 기술의 실험 설비를 사용해 관측한 현상을 바탕으로 산업 생산 설비를 만들기까지의 과정에는 기술에 대한 소양이 필요하다. '양(量)의 규모'라는 기술에 대한 소양을 갖추지 못한 과학자가 기술을 이야기하는 것이 무섭다. 현재도 수많은 마리 앙투아네트의 해결책을 찾아볼 수 있는데, 이에 대한 주의가 필요하다.

17
재미있는 우연을 소중히 여긴다는 것

마스코 노보루 교수는 지킬과 하이드 현상이라는 것도 소개했다. 지킬과 하이드는 유명한 소설의 등장인물로, 소설의 줄거리를 소개하면 다음과 같다. 지킬 박사는 19세기 후반에 런던에서 태어난 막대한 재산의 상속자로, 성실하고 재능이 넘치는 신사지만 그 이면에는 강한 향락성을 지니고 있다. 낮에는 존경받는 의사로 행동하지만, 밤에는 자신의 신분과 지위를 숨기고 다른 인격이 되려 하는 것이다. 지킬 박사는 자신의 과학 지식을 이용해 특수한 약품을 조합하는 데 성공하고는 밤이 되면 자택의 실험실에서 그 약품을 조합한다. 플라스크 속에서 거품을 내며 끓는 사이에 화학 반응을 일으켜서 두 단계에 걸쳐 색이 변하는 이 약을 마시면 지금보다 젊고 유쾌하며 정신적인 개방감을 맛볼 수 있지만 추악한 하이드 씨로 변신한다.

그러나 첫 실험 이후 새로 약품을 구입하지 않았던 탓에 약품이 부족해지기 시작한다. 그래서 새로운 약품을 구입해 조합했지만, 첫 번째 색 변화만 일어날 뿐 두 번째 색 변화가 일어나지 않는다. 물론 효력도 나타나지 않는다. 지킬 박사는 처음에 구입한 소금에 들어 있었던 무엇인지 모를 불순물이 약에 효력을 부여했음을 알게 된다. 그래서 첫 실험에서 사용한 소금과 같은 곳에서 만든 소금을 구하려고 런던 전체를 샅샅이 뒤지지만, 헛수고로 끝난다. 약품이 없으면 그는 하이드 씨에서 지킬 박사로 돌아오지 못하게 된다. 결국 지킬 박사는 자신이 지킬 박사로 있을 수 있는 마지막 시간을 이용해 유서를 쓰고 자살한다.

마스코 교수는 이 '무엇인지 알 수 없는 불순물의 효과'를 지킬과 하이드 현상이라고 불렀다. 그리고 이 표현을 20년 전부터 기회가 있을 때마다 사용했지만 그다지 유명해지지 않았다고 한다. 그 이유에 대해 마스코 교수는 재료 과학 분야의 경우 이런 현상이 너무 많이 일어나기 때문이며, 이것은 달리 말하면 '과학은 기술의 시종으로는 유용하지만 주인은 될 수 없음'을 증명하는 실례라고 말했다.

나 역시 지금까지 그런 현상을 수없이 겪어 왔기에 "과학은 시종이 되어라."라는 마스코 교수의 주장을 접하자 내가 지금까지 해 온 일에 대한 자신감이 솟아났다. 지금까지는 과학이 기술보다 한 등급 위라는 것이 일반적인 평가였다. 그러나 나는 과학 기술의 새로운 전개는 대부분 세렌디피티(우연을 발견하는 능력)가 바탕이 되었음을 항상 강조해 왔다. 일반적으로 과학자들은 고매한 이론이 바탕이 되었다며 그 사실을 숨기려 하지만, 나는 이론보다 실험을 통해 주의 깊게 관찰하다 보면 재

젊은 공학도에게 전하는 50가지 이야기

미있는 우연과 조우할 수 있으며 새로운 발상도 떠오른다고 생각해 왔다. 그랬기에 마스코 교수의 강연을 듣자 자신감과 자부심이 솟아났다.

실제로 나는 지금까지 40년 가까이 실험을 해 오면서 수많은 지킬과 하이드 현상을 만났다. 아마도 기술과 관련된 사람 중에는 나와 똑같은 현상을 접한 이가 많을 것이다. 표면 처리 분야의 지킬과 하이드 현상은 기술의 전승에 큰 도움을 준다고 생각한다.

18
'파레토 법칙'을 잊고 있지는 않은가?

불황기인 지금은 인내해야 하는 시기다. 그러나 발상을 전환하면 지금이야말로 그동안 개선해야겠다고 생각하면서도 생산에 쫓기는 바람에 시간적인 여유가 없어 방치해 왔던 공정 개선을 통해 제품 수율을 크게 향상시킬 기회라고 할 수 있다.

얼마 전에 어느 회사의 공정을 자세히 살펴볼 기회가 있었는데, 제품에 따라서는 20퍼센트가 넘는 불량품이 나오고 있다는 말을 들었다. 그래서 나는 "지금이야말로 기술자가 나서서 수율 향상에 힘쓸 절호의 기회입니다."라고 말했다. 물론 아무런 근거도 없이 그냥 열심히 일하라고 격려한 것은 아니다. 조언을 통해 수율을 크게 향상시킬 힌트를 준다. 지금까지 나의 조언이 제품 수율 향상이나 공정의 대폭적인 개선이나 신규 사업으로 이어진 사례가 여러 번 있었다.

제일 먼저 소개할 것은 어느 대기업의 이야기다. 최근에는 기업 간의 경쟁이 치열해서 하나부터 열까지 비밀 계약으로 진행하는 경향이 두드러지고 있는데, 이것이 기술의 정체(停滯)로 이어지는 경우가 많다. 그 기업도 신규 제품을 세상에 내놓고자 유럽의 기술을 라이선스 계약하고 비밀리에 대형 투자를

실시해 설비를 도입했는데, 막상 설
비를 가동해 보니 제품 수율이 20퍼
센트 정도밖에 나오지 않았다. 게다

† 롤 형태로 감은 원재료를
펼치면서 도금하는 방식. 대량
생산에 효율적이다.

† 도금조(槽) 속에 차 있는 도금액.

가 몇 년이 지나도 원인을 도무지 알 수가 없었다. 이대로는 사
업부의 최고 책임자가 책임을 져야 할 상황이었는데, 내가 그
공정을 살펴보고 아마도 이러이러한 점이 원인으로 보이니 이
렇게 하면 좋은 결과가 있을 것이라고 조언한 결과 제품 수율이
단번에 90퍼센트까지 상승했다.

또 어느 회사는 말랑말랑한 필름에 롤투롤(Roll to Roll)
도금†을 하는데 가동하고 반나절 동안은 양품이 나오지 않는다
고 하소연해서 그에 관한 해결책을 제안하기도 했다.

이런 사례도 있다. 어느 기업의 무전해 도금 공정 이야기인
데, 센서를 이용해 보급을 실시하는 방법으로 상당히 오랫동안
안정적으로 사용해 왔다. 그런데 그 사이 도금욕†에 축적된 불
용성 미립자가 제품에 악영향을 끼치고 있다는 것이었다. 여기
까지 이야기를 들으면 누구나 '여과를 하면 되잖아?'라고 생각
하겠지만, 여과재를 사용하면 여과재의 표면에서 무전해 반응
이 일어난다는 문제가 있었다. 제품보다 여과재 주위에서 더 많
은 반응이 일어나 버리기 때문에 현장에서는 가급적 여과재를
쓰고 싶어 하지 않았다. 이 문제도 나의 작은 조언으로 여과재
의 수명이 크게 연장되고 제품의 수율도 높아진 덕분에 그 기업

은 큰 이익을 낼 수 있었다.

이런 예는 그 밖에도 수없이 많은데, 이 이야기를 꺼낸 이유는 내 자랑을 하고 싶어서가 아니다. 내가 진정으로 하고 싶은 말은 기술의 전승이 얼마나 중요한가, 그리고 작은 발상을 시험해 보는 자세가 얼마나 중요한가다. 제품 수율 향상의 열쇠는 의외로 기본적이고 단순한 곳에 숨어 있다. 본질적인 곳에 해결의 실마리가 굴러다니고 있다.

파레토의 법칙이라는 것이 있다. 흔히 2대 8의 법칙이라고도 한다. 예를 들면 불량의 원인 중 상위 20퍼센트를 해결하면 전체 불량의 80퍼센트를 억제할 수 있다, 상품의 20퍼센트가 전체 매출액의 80퍼센트를 차지한다는 식이다. 특히 제조업의 품질 관리 분야에서는 개선해야 할 항목이 중요한 순서대로 10개 항목이 있다고 가정했을 때 상위 2개 항목을 개선하면 전체의 80퍼센트를 개선할 수 있다. 요컨대 중요한 인자는 그렇게 많지 않으며, 핵심만 파악하면 의외로 쉽게 해결할 수 있다는 말이다.

그런데 현실에서는 많은 기업이 제품 수율을 높이기 위한 가장 중요한 인자를 파악하지 못하고 우왕좌왕한다는 생각을 감출 수 없다. 가장 기본이 되는 이론을 이해하고 있지 못하고 발상이 풍부하지 않은 탓에 이런 종류의 문제 해결 능력이 떨어지는 것이다.

문제는 제조 현장의 환경에도 있지 않을까? 현장에는 감수성이 풍부한 젊은 사원이 많이 있지만, 그들은 기업에 들어온 그 순간부터 양산, 양산을 외치며 생산 효율만을 추구 하도록 강요당한다. 이래서는 스스로의 노력으로 새로운 기술을 개발하거나 새로운 공정을 도입하는 경험을 쌓지 못하며, 그 결과 이미 확립된 기술의 연장 선상에서만 문제를 파악하는 사원으로 성장하기 십상이다. 즉 해결의 열쇠가 되는 노하우나 기술적인 배경이 전승되지 않는다는 데 문제가 있다.

나를 비롯한 단카이 세대†는 아무것도 없는 상태에서 자신의 힘으로 기술을 확립하던 시절부터 직업을 갖고 일했다. 그렇기에 왜 이 약품을 사용하는지, 왜 이런 번거로운 과정을 거치며 처리하는지 등 실패와 성공을 거듭하며 만들어진 과정이 머릿속에 각인되어 있다. 그러나 지금의 학생들이나 기업에 있는 젊은 기술자들 중에는 그런 과정을 모르는 사람이 많아서 그것이 왜 좋은지, 왜 나쁜지에 대한 논리가 없는 경우가 대부분이다. 나는 그런 과정을 아는 숙련 기술자, 지식과 지혜를 겸비한 선배들의 경험을 젊은 사람들에게 전수하는 기술 전승의 중요성에 대해 특히 목소리를 높여 왔다. 젊은이들은 그런 선배의 경험을 적극적으로 흡수해야 하며, 동시에 선배들도 "노병은 다만 사라질 뿐이다."라며 말없이 떠나지 말아야 한다. 또한 경영자는 기술적으로 경험이 풍부한 베테랑을 적극적으로 받아들여 젊은이들에게 기술을 전승시킬 책무가 있다.

일이 줄어들어 시간 여유가 생긴 지금이야말로 오히려 기회이므로 선배의 경험을 젊은이들에게 전수해야 한다. 정체기이기에 더더욱 신기술을 개발하고 공정을 대폭 개선할 수 있으며, 그것이 기업 전체의 힘을 축적하고 저력을 끌어올리게 된다.

지금까지도 나는 연구 개발과 기술 전승의 중요성에 대해 수없이 이야기해 왔다. 또 지금 같은 시대일수록 연구 개발과 기술 전승에 힘을 쏟아야 한다고도 말했는데 그런 의미에서 대학을 적극적으로 이용했으면 한다. 대학은 지금 빙하기를 거쳐 도태의 시대를 맞이하고 있다. 국공립 대학에도 학생이 들어오지 않아 앞으로 통폐합이 진행될 것이다. 그러나 대학은 연구 개발과 기술 축적을 끊임없이 거듭해 왔다. 그 막대한 양의 '지(知)'를 안이한 통폐합으로 잃어버리는 것은 안타까운 일이다. 기업은 그 축적된 '지'를 활용해야 한다.

19
‘위기는 곧 기회’를 실천하자

최근 들어 지구 환경 문제가 크게 주목
받고 있다. 자동차에 대해서도 각종 환
경 대책이 추진되고 있어서, ‘생산 → 사용 → 폐기’라는 사이클
중 생산 단계에서는 산업 폐기물의 절감과 저연비, 저배출, 환
경 오염 물질의 감소 등 수많은 과제를 해결하기 위한 적극적인
노력이 요구되고 있다.

    2008년 6월 중순의 표면 처리 국제회의와 7월의 전자 기
술 실장(實裝)† 학회 분과회에서 열린 기술 강연에서는 플라
스틱 도금 과정에서 에칭(부식)에 크롬산을 사용하지 않기 위
한 고농도 오존 처리와 UV(ultraviolet, 자외선) 처리의 가능성,
6가 크롬 도금에서 3가 크롬 도금으로의 전환, 저연비 대응 하
이브리드 카, 연료 전지, 전기 자동차의 개발 상황, 안전과 내비
게이터 시스템을 위한 각종 센서의 개발 상황 등이 발표되었다.
표면 처리 업계는 고성능화와 함께 이러한 고부가 가치 기술에
대응할 기술력을 갖춰야 한다. 자동차 업계 전체가 힘든 상황임
은 물론 잘 알고 있다. 그러나 위기는 곧 기회라는 말이 있듯이,
사면초가라며 앞날을 비관하는 태도와 지금이야말로 기술력을

† 실장: 전자 부품을 인쇄 회로
기판에 부착시키는 것.

높일 기회라고 긍정적으로 생각하는 태도는 큰 차이를 만든다.

자동차의 고성능화, 소형 경량화, 다양화, 수명 향상, 연비 향상, 자원 절약, 에너지 절약 같은 다양한 니즈에 대해 표면 처리의 역할이 더욱더 중요해지고 있음은 틀림이 없다.

20
'21세기형'을 만드는 주역은 중소기업이다

20세기 후반에는 일본의 수많은 대기업이 업종을 불문하고 정상의 자리에 올랐다. 그러나 따지고 보면 어떤 기업이든 처음에는 작은 집단으로 출발해 대기업으로 성장했다. 그리고 역사는 반복된다. 바로 지금, 21세기형 기업을 위한 기회가 찾아오고 있다. 중소기업이 성공하려면 다양한 업종의 분야에서 기술 노하우를 보유하고 제안력이 있으며 그 업계의 리더로서 확고한 지위를 확립할 수 있어야 한다. 원래 신규 영역에는 중소기업이 뛰어들어 빠르게 기술이 제안되고 실용화되는 법이다. 그러다 성숙 산업이 되면 시장은 커지지만, 기술적인 혁신은 줄어든다.

중소기업의 기술력은 일본의 경제 성장에 중요한 역할을 담당했다. 지금까지도, 그리고 앞으로도 중소기업은 대기업과 협력해 신제품을 만들어 낼 뿐만 아니라 대기업에서는 좀처럼 손대기 어려운 창조성과 기동성이 높은 신규 제품을 만들어 낼 수 있다. 최근 들어 중소기업의 기술 고도화를 위한 보조금 신청을 받고 있는데, 당초 예상했던 신청 건수를 크게 웃돌았다는 이야기가 있다. 물론 보조금을 바탕으로 그 기업이 기술적으로 강해지기를 기대하지만, 그보다 기술자의 확보를 우선해야 한다. 아무리 보조금을 받아도, 내부 유보금이 있어도, 결국 사람이 없으면 기술을 향상시킬 수 없다. 지금처럼 경기가 크게 침체된 상황에서는 선행 투자를 할 용기 있는 기업이 적다. 그러다 보니 아무래도 정부의 보조금을 기대하기 쉬운데, 그보다도 자조 노력으로 확고한 기술력을 키우는 편이 좋다. 그러려면 앞에서도 이야기했듯이 대학의 지를 활용하는 것도 중요하다. 지금은 '어떻게 죽음의 계곡을 건널 것인가?'를 곱씹어야 할 때다.

움직이지 않는 조직을 어떻게
움직일 것인가?

수천만 엔이 넘는 값비싼 평가·해석 도구는 협업을 통해
공적 연구 기관이나 대학의 것을 이용하면 된다. 그보다는 도구를
효과적으로 활용할 수 있는 체제를 갖추는 편이 더 중요하다.
요점은 도구만 갖춰서는 의미가 없다는 말이다.

제 3 장

21
도구만 갖춰 놓고 만족하고 있지 않은가?

2006년 2월 하순, 《닛케이산업신문》의 비즈니스 페이지에 '중소기업의 나노 테크놀로지 열기'라는 기사가 실렸다. 그 내용을 요약해 소개하자면 다음과 같다.

경제산업성의 통계에 따르면 2006년에 전자 현미경의 일본 국내 생산 대수는 전년 대비 39퍼센트가 증가한 2528대, 생산액으로는 19퍼센트가 증가한 420억 엔으로 3년 연속 증가를 기록했다고 한다. 생산이 증가한 가장 큰 이유는 대기업이 나노 테크놀로지에 대한 투자를 확대함에 따라 고배율 현미경의 수요가 증가했고, 중견 기업과 중소기업에서 1000만 엔대의 범용형 현미경의 수요가 증가했으며, 여기에 도금 제조 현장 등 생각지도 못했던 분야에서까지 전자 현미경의 용도가 확대되었기 때문이다.

대충 이런 내용이었다. '도금 같은 생각지도 못했던 분야'라는 표현에는 조금 저항감을 느끼지만, 반대로 전자 현미경의 신규 구매 목록에 도금 전문 공장의 이름이 나온다는 말은 첨단 기술이나 미세 가공에 대한 대응이 착실히 진행되고 있다는 증거다.

업계 정상에 있는 도금 전문 공
장은 10년 전부터 미래의 산업 구조

와 기술 개발을 예상하고 전자 현미경을 비롯해 표면 해석, 분
석 장치를 도입해 왔다. 이번의 신문 기사는 신품 구매 데이터
를 조사한 것인데, 제조업의 경우 생산으로 직결되는 설비는 도
입해도 표면 해석 도구까지는 좀처럼 손이 닿지 않았던 것을 생
각하면 상당히 미래 기술에 역점을 둔 의식적인 도금 공장이다.
또 이 조사에는 실려 있지 않지만 신고품†이나 중고품으로 필
요한 도구를 갖추는 도금 공장도 많다.

개인적으로는 자동차 중고 시장처럼 이런 종류의 중고품
을 저렴한 가격에 적극적으로 구입할 수 있는 인프라를 정비하
면 기업의 기술력이나 해석력을 뒷받침하는 수단이 될 것으로
생각한다. 또 중소기업의 경우는 정부나 현 등의 공적 자금을
원조 받아서 고도의 해석 도구를 구입하는 방법이 있다. 이것은
특히 지방 공장에 유리한데, 10억 엔 이상의 보조금을 받은 기
업도 있다. 다만 신청서 작성이 매우 까다롭고 보조금을 받은
뒤에도 중간 보고서와 최종 보고서를 작성해야 하는 번거로움
이 있다. 이와 같은 이유로 기껏 좋은 도구를 도입하고서도 서
류 작성에 쫓겨 본래의 목적을 충분히 달성하지 못하는 일이 많
다. 이것은 대학도 마찬가지여서, 문부과학성의 신청 절차가 워
낙 번거로운 탓에 전문 인력을 여러 명 양성해서 이 일에만 전

넘시켜야 할 정도다. 지금까지도 몇 번 이야기했지만, 국립 대학이 독립 법인화되고 조성금이 중점 영역에 집중 배분되며 경쟁형 자금 원조의 비중이 커진 결과, 잠재력이 높은 대학이 더욱 성장하는 등 대학 사이에서 양극화가 계속 진행되고 있다.

또한 이런 종류의 평가 도구는 값이 비싼데다가 범용성이 떨어지기 때문에 목적한 연구가 끝나면 시설 전체가 전시장이 되어 버리는 일이 많다. 최근 들어 관련 기업의 경영자로부터 "이런 도구를 사고 싶어서 정부에 신청을 하려는데 어떻게 하면 좋겠습니까?"라는 문의가 많이 들어오고 있다. 내 생각에는 범용성이 높은 필요 최소한의 평가 도구만 자사에 갖춰 놓고 수천만 엔이 넘는 값비싼 평가·해석 도구는 협업의 형태로 공적 연구 기관이나 대학의 것을 이용하면 된다. 요컨대 그것을 효과적으로 활용할 수 있는 체제를 갖추지 않은 채 도구만 갖춰서는 의미가 없다는 말이다. 고가의 도구들을 잔뜩 들여놓고 과시하는 대학과 공적 연구 기관도 그 도구들을 각각의 분야에서 유기적으로 유용하게 사용할 방책을 궁리해야 한다. 도금 기술은 자동차, 가전제품, 전자 제품, 정밀 기기, 최근에는 나노 테크놀로지, 연료 전지, 바이오 센서에 이르기까지 다양한 분야에서 중요한 요소 기술이 되고 있다. 그러므로 각 기업은 먼저 기술 담당 인력들이 뜨거운 열정을 품고 기술을 개발할 수 있는 환경을 정비해야 한다.

22
'필요한 설비'와 '갖고 싶은 설비'는
다름을 자각한다

긍정적인 사고로 행복을 파는 사람의 강연을 들었다. 단상에 오른 사람은 자스닥[†]에 상장한 에이원 정밀(A-One Seimitsu Inc.)의 이사 상담역인 우메하라 가쓰히코(梅原勝彦) 씨다. 이때의 이야기를 소개하고 싶다.

† JASDAQ: 일본의 장외 시장 증권 거래 정보 시스템. 주문을 컴퓨터로 처리하여 매매를 성립시키고 거래 정보와 시세표를 자동 통보한다. 미국의 NASDAQ (National Association of Security Dealers Automated Quotations)과 유사.

우메하라 씨의 이야기에 따르면 에이원 정밀은 소형 자동 선반의 공구를 제조하는 회사로서 특별한 기술도 없고 보유한 특허도 없으며 대기업 산하에도 속해 있지 않다고 한다. 그런데도 최근 3년 동안 매출액 경상 이익률이 평균 40퍼센트를 초과했다. 어떻게 그럴 수 있었을까? 한마디로 말하면 지금 해야 할 일을 성실히 해서 좋은 제품을 저렴한 가격으로 빠르게 고객에게 제공해 왔기 때문이라는 것이 우메하라 씨의 이야기였다. 그래서 창업했을 때부터 사원들에게 "서비스업이라는 의식을 가져라.", "우리 회사는 제조 회사이지만 서비스업이다."라고 귀에 못이 박히도록 말했다고 한다.

우메하라 씨는 경쟁이 치열한 업계에서 '좋은 제품을', '싸게', '빠르게', 이 세 가지를 차별화해 왔다고 이야기했다. 그런데 '좋은 제품'은 지극히 당연하며, '싸게'도 상식적인 가격이라면 당연한 것이므로 타사와 차별화를 꾀할 수가 없다. 그래서 우메하라 씨는 '빠르게', 즉 납기 단축에 집착했다고 한다. 그 결과 인원의 배치, 설비, 공장의 레이아웃 등에서 타사가 흉내 낼 수 없는 경지에 이르렀다. "문제가 생기면 에이원에"라는 말이 생길 만큼 실력 있는 외과 의사 같은 존재가 된 것이다.

그런데 우메하라 씨는 납기 단축이라고 말하면서도 동시에 "저희 회사는 다른 회사가 30분이면 하는 일을 1시간을 들여서 고객이 만족할 수 있는 제품을 만든 다음 빠르게 공급합니다."라고 말했다. 언뜻 생각하면 '시간을 더 들이는데 납기 단축? 게다가 고수익이라고? 그게 어떻게 가능하지?'라는 의문이 들 수밖에 없는 말이다. 그러나 그 대답은 명쾌했다. 주문 잔량이 거의 없으므로 그날 들어온 주문은 그날 전부 처리할 뿐이라는 것이다. 다만 이를 가능케 하기 위해 설비와 사람을 조금 과잉된 상태로 유지한다. 우메하라 씨는 이것이 낭비가 아닌 여유라고 강조했다. 설비와 인력에 여유가 없으면 고객이 갑작스럽게 무리한 주문을 했을 때 대응할 수가 없다. 작업은 미크론 단위의 정밀도가 요구되기 때문에 공작 기계가 길이 들기까지 1~2시간은 걸린다고 한다. 그렇기 때문에 높은 정밀도를 요구하는 급한 주문이 들어왔을 때 하던 작업을 멈추고 새로운 작업으로 전환하려 하면 시간도 낭비될 뿐만 아니라 원하는 수준의 정밀도도 얻기 어렵다. 그럴 때를 대비해 설비와 인력을 준비해 놓는다는 것이다.

우메하라 씨는 다음과 같은 지적도 했다. 제조업에서 빠지기 쉬운 함정은 '필요한 설비'와 '갖고 싶은 설비'를 구별하지 못하는 것이다. 기술 계열의 일을 하다 보면 매년 좋은 기계를 갖고 싶어지는데, 갖고 싶은 설비와 필요한 설비는 다르다. 예를 들어 사용자가 5미크론의 정밀도로 충분하다고 하는데 구태여 정밀도가 1미크론인 설비를 들여놓을 필요는 없다. 요컨대 무엇이 필요하고 무엇이 무의미한지를 정확히 파악하라는 말이다.

에스원의 사원은 대부분 "이곳은 우리 회사야.", "난 회사를 사랑해."라며 자부심을 느낀다고 한다. 복잡한 사내 조직도 없고, 회의도 없다. 의논할 사항이 있으면 그 자리에서 대화를 나눈다. 그러면서도 사내에는 사무원이 두 명밖에 없지만 아무런 문제 없이 운영되고 있다고 한다. 우메하라 씨의 이야기를 듣고 있으니 나까지 기분이 유쾌해졌다. 참으로 흥분되는 강연이었다.

23
역시 중요한 것은 애정과 감사의 마음

인생의 다섯 가지 기본 요소는 사랑, 의지, 운, 인연, 은혜라는 말이 있다. 나는 사랑을 바탕으로 남을 대해야 하며 봉사의 정신이 중요하다고 학생과 스태프들에게 기회가 있을 때마다 이야기한다. 누군가에게 도움이 되는 일을 하고 있음을 기뻐하자. 애정을 갖고 일하면 주위 사람들도 똑같이 애정을 갖게 된다. 항상 성실한 마음가짐으로 일을 진행하자. 그러면 언젠가는 상대도 그 마음을 이해해 줄 것이다.

자신의 얼굴은 자신보다 주위 사람들이 더 많이 보게 된다. 자신이 어떤 행동을 하고 있는지 객관적으로 바라보는 일은 거의 없을지도 모른다. 커뮤니케이션은 상대가 이해했을 때 비로소 성립하므로 상대가 어떻게 이해했는지 확인하면서 일을 진행하는 것이 중요하다. 상대의 처지가 되어 생각해 보면 자신의 가치 판단만을 강요하며 억지로 일을 진행한 것이 아니냐는 반성을 하게 될 때가 의외로 많다.

사업 분야에서든 기술 분야에서든 자기 덕분에 성공했다고 아전인수 격으로 해석하며 으스대는 관리직을 종종 볼 수 있다. 장인처럼 자신의 기량만으로 승부해서 성공을 거둔 경우라면 몰라도 그 일을 실제로 추진한 사람이나 협력해 준 사람에게 감사하는 마음을 갖지 않으면 결국은 이해도 신뢰도 얻지 못하게 된다.

그러므로 눈앞의 공적이나 이익 추구에만 집착하지 말고 장기적인 시야에서 강한 신뢰 관계가 싹트도록 노력해야 한다. 헛소리라고 생각하는 사람도 있을지 모르는데, 동일본 대지진과 그 직후에 일어난 원자력 발전소 사고를 다시 한 번 떠올려 보자. 피해를 입은 사람의 처지가 되어 생각해 보면, 이미 시간이 많이 지났음에도 여전히 앞날이 보이지 않는 현실 속에서 희망, 포기, 깊은 상실감, 슬픔, 분노 등 온갖 감정과 함께 정부의 느려 터진 대응에 대해 짜증이 일고 일개 개인의 한계와 무력함을 느끼게 될 것이다.

이재민들을 위해 기부한 사람도 많을 터인데, 그 돈이 아직 적절하게 사용되지 않은 듯하다. 위정자의 강한 리더십 아래 부흥세와 기타 지원 체제의 정비가 시급하다. 일본은 지진 대국이므로 지진 대책과 쓰나미 대책, 원자력 발전소 대책, 에너지 자원 확보 등이 장기적으로 볼 때 가장 중요한 과제라고 할 수 있다. 그리고 이와 병행해 산업 활성화와 자유 무역, 행정 개혁 등에 신속히 대응해야 한다.

지식인들은 저마다 일본인은 인내심이 강하고 냉정하며 협조성이 있다느니, 그동안 잊고 있던 풍요로운 마음이 부활하고 있다느니, 대지진을 계기로 가치관이 바뀌고 있다느니 하는 논평을 내놓고 있는데, 마치 강 건너 불구경을 하는 듯한 그들의 논평을 이재민들은 과연 어떻게 생각할까? 그런 것보다 온 국민이 하나가 되어 희망을 품고 안심할 수 있는 환경을 한시바삐 정비해야 한다. 그것이 국민과 국민의 신뢰 관계다. 그리고 이것은 회사 조직도 마찬가지다. 관리직으로 일하는 사람은 부하직원에게 희망과 안심을 제공해야 한다.

24
산업계부터 편차치 교육을 시정하자

편차치[†] 교육의 폐해가 논란이 된
지도 많은 시간이 흘렀다. 편차치는
단순히 시험 성적만으로 결정되는
데, 고등학생이 이 지표만으로 자신

> [†] 정확히는 학력 편차치. 학력
> 평가의 점수를 전국 평균
> 점수와 표준 편차를 이용해
> 보정한 값으로, 한국의 표준
> 점수에 해당한다.

의 진로를 결정하는 것은 큰 문제다. 실생활에서 요구되는 것은
문제 해결 능력, 발상이나 착상을 바탕으로 한 창조성, 지속력,
인내력, 나아가서는 사회생활을 하기 위한 높은 윤리관과 도덕
관일 터인데, 이런 것들은 전혀 평가의 대상이 되지 않고 기억
력이나 단기적인 암기력이 우수한 학생이 성적 우수자로 평가
받기 때문이다.

먼저 이와 같은 편차치 일변도의 평가 시스템을 근본적으
로 재검토해야 한다. 이 편차치에 일본 사회 전체가 세뇌당한
현재 상황을 개선해야 한다는 사실은 많은 사람이 깨닫고 있을
것이다. 이렇게 편차치만으로 평가하는 시스템의 시정은 교육
계의 논의를 기다리기보다 산업계에서 먼저 시작해야 한다는
것이 나의 생각이다. 산업계에서는 단카이 세대의 대량 퇴직이
시작되면서 기술 전승이 큰 문제가 되고 있으며, 윤리관의 결여

로 여러 가지 부정 사건이 일어나고 있다. 기업에서는 우수한 인재를 확보하기 위해 성적이 우수하다고 평가 받은 학생을 채용해 왔는데, 그런 학생이 기업에 들어와 역량을 발휘했는가 하면 의외로 기대 이하인 경우가 많았다. 특히 최근 들어서는 직업의식이 희박하고 쉽게 싫증을 내며 단기간에 회사를 그만두는 학생이 많아졌다고 한다. 그 결과 일부 기업에서는 편차치가 높은 대학 출신자를 성적순으로 뽑기보다 실학(實學)에 힘을 쏟은 학생이나 인간성이 풍부한 학생을 채용하는 것이 중요함을 깨닫기 시작했다.

대학 저학년 학생에게 장래에 대한 생각을 물어보면 대부분은 장래 계획이 없었다. 꿈을 가진 학생도 적었고, 모두들 미래에 대해 불안감을 느끼고 있었다. 학생들의 이런 의식을 바꾸려면 상당한 시간이 필요한데, 현재로서는 나의 연구실에 배속된 학생들만이라도 진정한 의미의 실력을 붙여서 사회로 내보내려고 노력하고 있다. 일반적으로 대학의 취업 지원은 커리어 지원이라는 이름으로 면접 방법, 모의 취업 시험, 이력서 쓰는 법 등 취업 기술을 지원하는 방식이다. 그러나 내 연구실의 학생들은 이런 식의 지원을 전혀 받지 않는다. 기업에 따라서는 특별 채용 대상이 되기도 하지만 다른 학생과 함께 취업 시험이나 면접을 받아야 함에도 소위 일반 상식 문제집은 푼 적도 없고 면접 훈련도 받지 않는다. 그런 탓에 이런 시험의 성적은 그리 좋지 않고, 면접에서도 대답할 때 조금 더듬거리곤 하는 모양이다. 그러나 내가 생각하기에 각 대학에서 실시하는 취업 지원은 폐해가 더 크다. 사실 취업 활동 기간은 졸업 연구로 자신의 힘을 갈고닦아야 할 소중한 시기인데, 그런 시기에 매일 같이 취업과를 드나들고 취업 복장으로 회사를 방문한다. 이래서는 그들의 실력이 전혀 향상될 수가 없다. 면접에서 질문에 막힘없이 대답하고 몸가짐이 단정하며 취업 시험 문제를 잘 푸는 학생이었다고 해도 막상 채용해 보니 무기력하고 수동적이며 문제 해결 능력이 떨어지고 그 분야에 대한 지식이나 능력이 전혀 없는 경우가 많아 기업을 실망시키고 있다. 그래서인지 최근에는 일부 기업의 경영자와 인사부의 생각에 변화의 조짐이 나타나고 있다. 그들은 지금까지의 잘못된 채용 방식을 시정하고, 내가 학생들을 지도하는 방법에 공감했다. 같은 맥락에서 대학 측의 의식 개혁도 필요하다. 학생이 기업에서 활약할 수 있도록 그 대학에 맞는 특색 있는 커리어 교육이 필요하다.

25
교원이 학생을 올바르게 키우면
기업의 채용 방식도 바뀐다

버블 경제가 붕괴된 뒤로 많은 기업이 인원을 대폭 억제하고 파견 사원과 파트 타이머의 비율을 높이는 방법으로 비용을 억제해 왔다. 실적 중심의 능력주의를 표방하며 사원들에게 단기간에 성과를 낼 것을 요구했고, 기술 개발은 등한시한 채 생산성 향상에만 힘을 쏟았다.

이와 같은 시대 배경 속에서 신입 사원에게 큰 기대를 품고 있는데, 기존의 훈련 방식이 도무지 효과가 없는 모양이다. 회사가 힘든 시기에 입사한 현재의 단체 연수 담당자들은 자신이 교육 받은 방식으로 유약한 신입 사원들을 교육시키려 하지만 소용이 없다. 나이가 몇 살 정도밖에 차이가 나지 않는데도 가치관의 차이가 워낙 큰 탓에 위화감을 느낀 신입 사원이 잇달아 사표를 쓰고 회사를 떠나는 상황이다.

많은 학생이 자신의 능력을 키워야 할 가장 중요한 시기인 마지막 학년을 취업 활동에 허비하고 있다. 이런 사태는 졸업도 하지 않은 학생을 뽑아 가는 기업에 커다란 책임이 있다. 게다가 대부분의 학생과 지도 교수가 종합적인 대우의 측면에서 대기업을 선호하는 경향에도 변화가 보이지 않는다.

기술 입국 일본의 산업 구조를 생각할 때 특히 중소기업은 대우를 비롯해 여러 가지 측면에서 학생들을 유치할 수 있는 매력적인 체제를 만들어야 한다. 또 학생을 키우는 우리 교원 측도 훌륭한 학생을 키워 내겠다는 기개를 품고 연구 중시에서 교육과 연구를 균형 있게 평가하는 방식으로 전환해야 한다. 졸업할 때까지 학생의 능력을 성장시켜서 사회로 내보내는 것이 우리 교원의 책무다. 교육과 연구는 대학의 가장 큰 사명임에도 교사의 평가 기준은 여전히 연구에만 편중되어 있다. 학생들에게 사회에서 통용될 능력과 자신감을 불어넣어 주는 것이 교육자의 사명임에도 대학에서는 이 부분을 거의 평가하지 않는다. 우리 연구실에서는 졸업 연구나 석사 연구 지도를 통해 학생들에게 전문 기술을 심어 주는 것은 물론이고 인사와 예의범절, 나아가 윤리관과 도덕관 등을 높이도록 지도하고 있다.

앞으로는 대학 간판이 아니라 진짜 실력 있는 학생을 키우는 실적 있는 연구실에서 학생을 채용하는 기업이 늘어날 것이다. 그렇게 되면 당연히 졸업도 하지 않은 학생을 뽑아 가는 관행도 사라져 학생들의 의욕도 높아질 것이고, 그 결과 대학과 기업, 나아가서는 산업계 전체의 수준이 향상될 것이다.

26
젊은 사원이 "그만두겠습니다."라고 말한다면

최근의 신입 사원은 애사 정신이 부족하고 단기간에 회사를 그만둔다고 한다. 그런데 왜 그만두는지 물어보면 별다른 이유도 없다고 한다. 아무래도 인내심과 지구력이 없어서 그만두는 것이 아닐까 싶다. 내가 아는 어떤 기업에서는 신입 사원의 3분의 1이 1년 안에 사표를 낸다는 이야기를 들었다. 기업이 신입 사원을 교육해 제 몫을 하도록 만들기까지 3년은 걸리는 것을 생각하면 커다란 사회 문제다. 특히 제조업의 경우는 버블 경제가 붕괴된 이래 십수 년에 걸쳐 인원을 줄이고 파견 사원에 의존한 결과 기업에 대한 충성심과 구심력이 크게 저하되었으며 제품의 품질도 불안정해졌다. "기업은 사람이다."라고 하는데, 그야말로 졸도하기 직전의 상태다.

지금까지 나는 연구실의 학생들에게 3년 동안은 절대 회사를 그만두지 말라고, 3년은 급여를 받으면서 공부하는 기간으로 생각하라고 일관되게 말해 왔다. 그리고 3년이 지났는데도 자신의 적성에 맞지 않는다고 판단하면 그때 행동하라고 말해 왔다. 이 생각은 지금도 변함이 없다.

27
경력 사원 채용은 결코 만능이 아니다

고도 성장기에는 모든 기업이 대졸 신입 사원을 중심으로 직원을 채용했고 경력 사원 채용은 거의 없었다. 또 모든 기업이 3년 정도 시간을 들여서 사원을 교육해 왔다. 그러나 버블 경제가 붕괴되자 대부분의 기업이 그럴 여유를 잃었다. 10년 이상 전부터 대기업은 수천 명에서 수만 명 규모의 대형 구조 조정을 시작했다. 이에 따라 한창 일할 나이인 50대를 중심으로 외국의 기업에 자신의 기술력을 파는 사람, 일본 국내의 다른 기업으로 자리를 옮기는 사람이 늘어났고, 그 결과 어떤 기업이든 경력 사원 채용의 비율이 급상승했다. 계획에 따라 대졸 신입 사원을 채용하던 방식에서 상시 채용, 그것도 경력 사원 채용으로 방향키를 크게 전환한 기업이 많다.

기술력에 정평이 나 있는 유명 기업 중에도 경영자가 바뀐 뒤 경력 사원과 대졸 신입 사원의 채용 비율을 7 대 3으로 바꾼 곳이 있다. 경영자로서는 치열한 경쟁 속에서 인건비 절감과 높은 전문성이라는 두 마리 토끼를 잡고자 이런 경향을 어느 정도 용인할 수밖에 없을 것이다. 그러나 비율이 역전되어 버리면 기존의 사원과 경력 채용된 사원 사이의 협력 체제가 무너져 버리는 일이 많다.

각각의 기업에는 경영자의 콘셉트 아래 끊임없이 계승되는 독자적인 기업 문화, DNA 같은 것이 있다. 그런데 그곳에 다른 문화 속에서 자란 사람이 상사로 또는 동료로 들어오면 잘 적응하지 못하는 경우가 많다. 겸허하고 순하며 협조성이 높은 사람이라면 문제가 없을 것 같지만, 실제로는 쉬운 일이 아니다. 중간에 들어온 사람과 전부터 그 기업에서 고락을 함께해온 사람 사이에 마찰이 커지는 경우가 많기 때문이다. 특히 연령대가 같고 전문적으로 가까운 분야일 경우, 자기 과시욕이 강하면 마치 나 없이는 회사가 돌아가지 않는다는 듯 동료를 우롱하거나 모욕하거나 심하게 비판하다 결국 동료들로부터 외면당하게 된다.

흔히 기업은 대기업 기술자라는 경력 사원 채용이 성과주의 도입과 높은 전문성을 지닌 우수한 인재의 확보라는 두 마리 토끼를 잡을 가장 빠른 해결책이라고 생각하는 경향이 있는데, 긍정적인 효과뿐만 아니라 부정적인 효과도 염두에 둬야 한다. 특히 경영자나 기업의 간부는 주의해야 한다.

28
일본판 듀얼 시스템을 구축하자

·

일본의 산업에서 제조업이 차지하는 비율은 25퍼센트다. 그리고 이 가운데 99퍼센트를 차지하는 중소기업이 제조 대국 일본의 지위를 확립해 왔다. 그러나 양산형 기술은 급격한 엔화 강세와 맞물리면서 일본을 떠나 중국 등 외국으로 급속히 빠져나가고 있다. 성숙 산업의 경우는 동남아시아 등 외국으로 떠나는 것이 당연하다 싶지만, 최근에는 첨단 기술 산업조차도 아시아로 떠나고 있으며, 지금까지 강점으로 여겨져 왔던 기술력 자체도 저하되고 있다. 철저한 생산 효율 추구와 이를 위한 인건비 절감 등에서 비롯된 고용 체제의 변질, 개발 인원 감축이 기술력의 저하를 부채질하고 있다.

나는 제조업을 중심으로 일본의 기술력이 저하되고 있는 현실에 조바심을 느끼면서 2년 만에 독일을 방문했다. 일본인의 마음속에는 미국·유럽 숭배주의가 자리하고 있으며, 이들 선진국이 새로운 기술을 발신해 줄 것이라는 맹신이 뿌리 깊게 박혀 있다. 내가 몸담은 표면 처리 산업의 경우 지금까지 미국 그리고 독일을 비롯한 유럽의 약품이나 장치에 많이 의존해 온 것이 사실이다. 일본은 흉내와 모방이 장기라는 딱지를 아직도 떼어 내지 못하고 있으며, 일반인들에게도 그런 인식이 침투해 있다. 그러나 나는 차용품에서 독자성을 지닌 약품을 개발하고 공정을 구축함으로써 우수한 기술을 발신하는 일의 중요성을 기회가 있을 때마다 강조해 왔다.

지금까지 내가 열 번 정도 독일을 시찰하고 학회에 참가하면서 알게 된 독일의 교육 제도를 소개하고 싶다. 독일의 교육 제도가 일본과 근본적으로 다른 부분은 먼저 초등학교가 4년제라는 점이다. 그리고 10세에 진로가 결정된다. 일본처럼 일단 고등학교에 간 다음에 대학에 진학할지 말지 생각하는 것이 아니라 10세(초등학교 4학년)에 진로를 결정해야 한다. 대학에 가려면 9년제인 김나지움으로 진학하고, 대학에 가지 않기로 결정했다면 5년제 중학교에 진학해 의무 교육을 받고 나서 전문 기술을 배우는 6년제 전문학교에 간다.

진로는 기본적으로 초등학교의 성적에 따라 결정된다. 일정 수준의 학력(學力)이 되지 않으면 대학 진학 코스로 갈 수 없다. 그러나 독일은 일본처럼 학력(學歷) 편중 사회가 아니라서 학력만으로 미래가 결정되지는 않으며, 직업으로 연결되는 기술을 가르치는 학교가 충실히 갖춰져 있기 때문에 대학에 가지 않고 마이스터가 되려 하는 사람도 많다. 또 어린 학생들이 학교를 나와 어려움 없이 직장 생활을 할 수 있도록 지원해 주는 직업 양성 훈련생 제도가 마련되어 있다. 독일어권을 중심으로 발전해 온 이 제도는 기업에서의 직업 양성 훈련과 직업 학교 등 교육 기관에서의 학습을 동시에 실시함으로써(이것을 듀얼 시스템이라고 부른다) 젊은 기술 노동자 양성의 기반이 되고 있다. 최근에는 경제 세계화의 영향 등도 있어서 직업 양성 훈련을 실시하는 기업이 줄어드는 등 듀얼 시스템을 둘러싼 환경에도 변화가 나타나기 시작했지만, 독일 연방 정부와 주정부는 직업 양성 훈련처를 확보하기 위한 대책을 세우면서 듀얼 시스템을 유지하기 위해 힘쓰고 있다. 실제로 직업 양성 훈련을 받은 노동자의 80퍼센트가 직업 양성 훈련을 통해 익힌 기술이 없었다면 지금의 직업을 가질 수 없었을 것이라고 대답했다고 한다. 이러한 설문 조사 결과를 봐도 알 수 있듯이 직업 양성 훈련생 제도를 중심으로 한 직업 훈련은 높은 평가를 받고 있다.

이번에 방문한 기업들에서도 양성공과 훈련생이 활약하고 있는 듯했다. 또 대학 진학을 선택했을 경우, 최종적으로는 대학의 연구실 단위로 공부하게 된다. 교수가 할 일은 연구비 획득으로, 모든 교수가 평균 10가지 정도의 연구 프로젝트를 통해 연구비를 획득하고 있다. 인턴십이 필수 코스이기 때문인지 기업의 연구비 지원이 상당히 많다. 획득한 연구비의 절반 이상은 박사 과정 연구원과 포스닥(박사 후 연구원)의 급여로 사용된다고 한다. 특정 연구비·프로젝트별로 고용되어 연구 체제는 확고하며, 기업과의 협력도 공고하다.

일본에서도 최근 들어 공과 계열 대학을 중심으로 인턴십이 추진되기 시작했지만, 취직자리를 결정하기 전의 단기 연수가 주목적이라 그다지 의미가 없다. 산학 협동을 소리 높여 외치는 지금, 각 공과 대학이 일본판 듀얼 시스템을 구축한다면 학생들의 의식은 크게 바뀔 것이며 대학의 연구도 실학에 가까운 영역을 커버해서 크게 활성화될 것이다. 내 연구실과 연구센터에서는 대학에 표면 처리 부문 사업부를 병설한 관계로 이미 독일의 직업 교육 시스템과는 다르지만 비슷한 방법으로 학생들에게 실학 교육을 실시해 왔다. 또한 기초적인 능력을 키우려는 노력도 게을리하지 않아서, 영어 강좌를 매일 실시하며 기초 연구와 실학에 가까운 연구를 하고 있다.

사람들은 미래를 위해 특색 있는 대학을 만들자고 외친다. 작은 첫걸음인지도 모르지만, 우리 연구실의 교육 방식이 대학과 산업계에서 평가 받을 날이 오기를 기대하고 있다.

29
궁지에 몰려 있는 젊은 사원들에게 손을 내밀자

상장 기업에서 일하는 20~30대 정사원 중 4분의 3이 지금 하는 일에 대해 무기력감을 느끼고 있다는 조사 결과가 나왔다. 자신이 하는 일에서 사회적인 의의를 느끼지 못하는 젊은 사원은 30퍼센트가 넘으며, 회사를 옮기고 싶어 하는 사람도 40퍼센트가 넘는다고 한다.

인터넷 서핑을 하다 이런 조사 결과를 발견했다. 자신이 하는 일에 대해 무기력감을 '자주 느끼는' 사람은 16.1퍼센트, '이따금 느끼는' 사람은 58.9퍼센트로, 합계 75.0퍼센트가 자신이 하는 일에 대해 무기력감을 느끼고 있었다. 이직이나 독립에 대해서는 '기회가 된다면 당장이라도'라고 대답한 사람이 18.7퍼센트, '3년 이내'라고 대답한 사람이 13.0퍼센트였다. 여기에 '5년 정도는 이곳에서 더 일하고 싶다.'고 대답한 12.8퍼센트를 더하면 44.5퍼센트가 이직을 원하는 셈이다. '지금 하는 일에서 사회적인 사명감을 느끼지 못한다.'고 대답한 사람도 31.7퍼센트에 이른다. 한편 어떨 때 보람을 느끼느냐는 질문에는 '보수가 높은 일을 할 때'가 29.0퍼센트로 1위를 차지했고, 돈을 제외했을 경우는 '그 자체로 재미있고 자극이 되는 일을 할 때'가

44.5퍼센트, '동료나 후배로부터 신뢰받을 때, 감사받을 때'가 35.0퍼센트였다.

이것은 2007년에 노무라 종합 연구소가 실시한 조사였던 것으로 기억한다. 이와 관련해 노무라 종합 연구소는 프리터[†]와 니트[†]가 점점 증가할 것으로 예상되므로 일에 대한 동기를 부여할 사명감을 확립하고 젊은 사원이 자신을 시험할 기회를 마련하는 등 기업 측의 대책이 필요하다고 제언했다.

최근에 주식을 공개한 기업이 '기업은 주주의 것'이라며 배당 성향[†]을 높여 직원들의 주름살을 늘리고 있다는 목소리도 적지 않다. 도쿄 증권 거래소 1부 상장 기업의 2007년 겨울 보너스는 74만 엔 정도인데, 여기에 중소기업(종업원 1000명 미만)을 포함하면 원유 가격 상승에서 비롯된 원재료 가격 상승으로 수익 개선이 어려워짐에 따라 전년 대비 마이너스 1.9퍼센트, 평균 금액으로는 33만 2000엔(시간제 근로자도 포함)이 될 것으로 예측되고 있다. 또 기업 규모별로 경상 이익의 추이를 보면 1993년부터 2005년경까지는 대기업과 중소기업의 수익 추이가 거의 일치했지만, 그 뒤로는 대기업이 경상 이익을 순조롭게 늘린 데 반해 중소기업은 답보 상태. 또 대기업은 금년도에 들어와 시간제 근로자가 전년 대비 16.8퍼센트 감소하고 상근직은 4.2퍼센트 증가했지만, 중소기업은 시간제 근로자가 4.6퍼센트 증가하고 상근직은 0.7퍼센트 증가하는 데 그쳤다.

이와 같이 대기업은 상근직 취업자가 증가함에 따라 보너스가 증가했고, 중소기업은 시간제 근로자가 늘어난 것이 보너스의 평균 금액을 떨어뜨렸다. 지금 중소기업은 상근직 고용을 늘릴 만큼 성장 전망이 보이지 않는 상태이며 필요한 인재도 확보하지 못하고 있다. 취업자의 대부분을 책임지는 중소기업의 임금과 상여금이 오르지 않는 한 소비가 활발해질 전망은 보이지 않는다.

제조업을 중심으로 한 많은 기업이 인건비 절감을 위해 파견 사원과 시간제 근로자의 비율을 높이고 있다. 그 결과 정사원, 특히 중견 기술자는 과도한 부담을 짊어져 육체적, 정신적으로 궁지에 몰려 있다. 경영자는 이런 현실을 심각하게 받아들이고 어떻게 해결할지 고민해야 한다.

† freeter: free와 arbeiter의 합성어. 일정한 직업이 없이 아르바이트로 생활하는 사람.

† NEET: Not currently engaged in Education, Employment or Training, 직업이 없으며 일을 하려는 의지도 없는 사람.

† 당기 순이익에 대한 현금 배당액의 비율.

30
부하가 우울증에 걸리기 전에
할 수 있는 일이 있다

최근 들어 기업마다 마음의 병을 이유로 2개월 이상 장기 휴직하는 직원이 늘고 있는데, 대부분은 우울증이라는 진단을 받는다고 한다. 우울증에 대해 산업 의학 의사들은 대체로 '억지로 격려하지 말고 쉬게 하는 것이 좋다.'는 데 의견의 일치를 보이는 듯하다.

제2차 세계 대전 이후 한창 성장하던 시대에는 이런 정신적인 불안정 상태가 딱히 관심의 대상이 되지 못했다. 사람들은 이런 것을 신경 쓰지 않고 앞만 보며 달렸으며, 그런 사람이 생기면 상사나 동료가 격려해서 직장에 복귀시켰다. 그런데 최근에는 증상이 가벼운 환자까지도 의사가 안이하게 우울증으로 진단해서, 진단서를 받아 든 본인은 자신이 우울증에 걸렸다는 암시에 걸려 버린다. 게다가 회사의 상사나 동료는 마치 '위험물'을 다루듯이 조심조심하며 아무 말도 하지 못한다. 그러다 보니 일하지 않는 습관이 들고 게을러져서 점점 더 직장에 복귀하지 못하게 된다.

과연 이대로 괜찮은 것일까? 2000년대에 들어와서 우울증

등 기분 장애 환자가 급격히 증가했 † Selective Serotonin Reuptake inhibitors: 선택적 세로토닌 재흡수 억제제. 우울증, 불안 장애 등 몇 가지 인격 장애를 치료하는 데 쓰이는 항우울제의 일종.
는데, 그 배경에는 새로운 항우울제
의 등장이 있다. 연간 170억 엔대였
던 항우울제의 판매액은 1999년에
SSRI†라는 신약이 등장한 뒤 갑자기 늘어나 2007년에는 900억 엔을 넘어섰다. 이와 같은 급격한 증가세는 구미에서도 찾아볼 수 있는데, 이 약이 발매된 1980년대 후반부터 1990년대 초반에 걸쳐 환자가 증가했다. SSRI의 발매와 함께 제약 기업은 의사를 대상으로 한 강연회와 인터넷, 텔레비전 광고 등을 통해 우울증 계몽 캠페인을 열심히 전개했다. 그 결과 신경 정신과 진료를 받는 데 대한 사람들의 저항감은 줄어들었고, 한편으로 일시적인 우울함까지도 '혹시 병이 아닐까?'라고 의심하는 사람이 늘어났다. 어느 조사에 따르면 우울증에 대한 텔레비전 광고를 본 학생은 광고를 보지 않은 학생보다 "기분 저하가 계속되면 적극적인 치료가 필요하다."라고 대답한 비율이 높았다고 한다. 이것을 봐도 텔레비전 광고의 영향을 짐작할 수 있다.

일반적으로 성실하고 책임감이 강한 사람일수록 우울증에 걸리기 쉽다고 한다. 이는 자살로 이어질 수도 있기 때문에 우울증의 조기 발견과 치료는 자살 대책의 중심축이기도 하다. 그런데 최근에는 '자신보다 타인을 탓한다.', '직장이 아닌 곳에서는 활기가 넘친다.' 등 다양한 유형이 우울증에 포함되었다. 그러고 보면 경기가 침체됨에 따라 기업 내에서 권력을 남용해 타인을 괴롭히는 일이 횡행하고 있다고 한다. 자신을 탓하지 않고 특히 부하 직원에게 심한 말을 하는 상사가 늘고 있다는 것이다. 혹시 뜨끔한 사람이 있으면 반성하기 바란다. 또 우울증은 검사 수치로 측정할 수 있는 신체 질환과 달리 진단이 어렵다. 그래서 '답답하고 불쾌한 기분' 등의 증상이 나타나는 횟수로 우울증을 판단하는 진단 기준이 보급됐는데, '왜 그렇게 되었는가?'를 묻지 않고 성격이나 일상적인 고민에 따른 우울함까지도 우울증으로 진단하는 바람에 오히려 혼란을 가중시킨 측면이 있다.

최근에는 의사들 사이에서도 안이한 투약을 우려하는 목소리가 나오고 있다. 정신과 의사인 내 친구는 꽤 오래전부터 약물 요법이 아닌 정신 요법을 실시해 왔는데, 외국에서는 가벼운 증상일 경우 상담이나 운동 등을 권하는 치료 방침도 많다. 기업의 경영자는 이 문제에 적극적으로 대처해 회사에서 일하는 모든 사람이 꿈과 두근거림, 충실감을 느끼며 일할 수 있는 환경을 만들어야 할 것이다.

31
역(逆)스마일 커브가 기업과 사원에게 웃음을 준다

'스마일 커브 현상'이라는 표현이 있다. 이것은 원래 전자 기계 산업의 수익 구조를 표현하는 말이다. 상류인 상품 개발이나 부품 제조, 그리고 하류인 유지 보수나 애프터서비스 부분은 수익성이 높지만, 중간의 제조업은 그다지 이익을 내지 못하는 경향을 그래프로 그리면 웃는 입처럼 보인다고 해서 이렇게 부른다.

이 현상이 반드시 모든 산업에 적용되지는 않지만, 최소한 나와 관련이 있는 표면 처리를 중심으로 하는 산업계를 보면 수익성이 낮은 게 사실이다. 지금까지 기업들은 급여를 억제하면서 제조 공정의 효율화를 중심으로 이익을 내는 체질을 만들어 왔다. 그러자 경단련(일본 경제 단체 연합회)의 회장은 연초에 이익을 내는 기업은 임금을 올리자는 제안을 했다. 그러나 스마일 커브를 봐도 알 수 있듯이 중소 부품 공급 업자들은 어려움을 겪고 있으며, 적절한 이익 분배가 이루어지지 않는 한 점점 더 암울해질 것이다.

경제가 발전함에 따라 생활 수준이 향상되고 수많은 상품과 서비스가 시장에 범람하고 있다. 따라서 공급 과잉 상태인 시장에서는 당연히 가격 경쟁이 치열해질 수밖에 없고, 중국을 비롯한 아시아 국가의 값싼 상품이 시장에 유통됨에 따라 상황은 더욱 심각해지고 있다. 만들면 팔리던 시대는 이미 막을 내렸고, 사업의 존속조차 위협 받는 시대에 돌입했다고 해도 과언이 아니다.

이와 같은 상황 속에서 수익을 늘리려면 도급 산업에서 탈피해야 한다. 그렇다면 어떻게 해야 도급 산업에서 벗어날 수 있을까? 대기업에는 없는 개발력, 즉 우리 대학 같은 연구 기관과 상품 개발에 대한 협력을 강화하고 기초 연구나 R&D(Research and Development, 연구 개발)와 공정을 융합하는 일의 중요성을 명확히 인식하는 것이 중요하다. 또 전문 영역의 특화, 요컨대 선택과 집중을 하고 나아가서는 과감히 새로운 시장을 창조, 개척하는 힘이 필요하다.

신(新) 3종의 신기(神器)로 불리는 박형(薄型) 대화면 텔레비전, DVD 리코더, 디지털 카메라와 각종 기능이 부가된 휴대전화가 새로운 시장을 개척하며 경기 회복에 공헌하고 있다. 도금은 이런 제품들을 만들 때 꼭 필요한 기술이므로 단순한 제조 공정의 위치에서 벗어나 역(逆)스마일 커브를 만들어야 한다.

상품을 생산할 때는 항상 효율이 중요시되므로 성숙화가 진행됨에 따라 중국을 비롯한 아시아 국가로 이전 또는 분업이 전개될 것이다. 여기에서 중요한 점은 일본 제조업의 강점인 제조 기술의 노하우를 하나둘 잃어 왔다는 것이다. 지금까지 구조 조정의 대상이 된 기술자가 개인적으로 기술 노하우를 외국 기업에 유출시켰음을 인식해야 한다. 앞으로는 기술이나 기능을 이전할 경우, 적절한 대가를 확보하고 전수해야 한다.

제조업에서는 원재료에 에너지를 가함으로써 가공 제품을 완성하는데, 부가 가치를 높이기 위해서는 지금 이상으로 서비스의 부가가 중요하다. 최근 발매되어 젊은이들에게 인기를 얻고 있는 휴대 전화가 있다. 나 같은 연장자들은 기껏 좋은 기능이 부가되어도 제대로 활용을 못하지만 젊은 세대는 아주 쉽게 활용한다. 앞으로도 여러 가지 부가 가치를 부여한 제품의 개발과 새로운 연구 개발을 위한 투자가 중요할 것이다.

새로운 산업이 창출되면 새로운 고용 창출로 이어진다. 제2차 세계 대전이 끝난 뒤 공업 입국을 지향함에 따라 노동자가 제1차 산업에서 제2차 산업으로 넘어왔듯이, 최근 10년 사이에는 제조업을 중심으로 한 구조 조정의 결과 제2차 산업에서 제3차 산업으로 노동자가 넘어가고 있다. 또 사회의 성숙화와 함께 다양한 서비스가 산업화되고 있다. 또한 일부 고소득자를 제외하면 상류와 하류로 완전히 양극화되고 있다. 미국은 제3차 산업 종사자가 이미 노동 인구의 75퍼센트를 넘어섰다고 하는데, 일본에서도 제3차 산업에서 새로운 서비스를 개발해 새로 500만 명 규모를 고용하자는 정책이 제안되었다. 다만 경제학자의 이런 제안에는 조금 의문을 느낀다. 기술 입국 일본이 이런 방향으로 나아가도 괜찮은 것일까?

제3차 산업이 발달함에 따라 대부분의 학생이 당연하다는 듯이 서비스업에서 아르바이트하게 되었다. 그러나 학생의 본분인 공부가 뒷전으로 밀린다면 젊은 세대의 의식은 저하될 수밖에 없다. 이대로 가면 앞으로 다양한 새 분야를 창출해 나가는 데 걸림돌이 될 것이다. 일본이 자랑하는 연구 개발을 통해 제2차 산업에서 새 분야를 만들어 내거나 제3차 산업에서 새 분야를 구축해야 한다. 제2차 산업은 위에서도 말했지만 끊임없이 국제적 경쟁에 노출되어 결국 공정의 효율화가 추구되므로 고용이 크게 감소할 수밖에 없다.

많은 노력이 필요하지만, 항상 선두 주자로서 신기술을 새로운 산업으로 연결시켜 나가야 한다. 미래의 분야로는 나노 테크놀로지를 비롯해 바이오, IT, 에너지 변환, 의학-공학 연계를 생각할 수 있다. 첨단 기술 분야를 통한 고용 창출을 의식해야 한다.

32
치명적인 트러블을 피하기 위한
다섯 가지 포인트

표면 처리를 비롯한 제조업에서는 위기관리를 게을리하면 회사의 존망이 위태로울 수 있다. 그런 의미에서는 구체적인 사례를 소개하는 편이 가장 확실히 와 닿겠지만, 너무나 충격적인 것이 많기에 여기서는 아찔한 사고와 기업에서 일어나는 문제점 등을 소개해 독자 여러분의 이해를 돕고자 한다.

과거에 커다란 트러블을 경험한 기업을 중심으로 '실패학'을 배우고 실천하는 움직임이 커지고 있다. 똑같은 실패를 반복하지 않으려면 사고까지는 이르지 않은 작은 트러블을 사고의 '조짐'으로 생각하고 다 함께 사례를 공유하는 시스템을 구축하는 것이 중요하며, 이를 위해서는 실패를 은폐하지 않는 기업으로 바뀌어야 한다.

먼저 중요한 것은 ①'나쁜 사건은 즉시 보고하고, 좋은 사건은 천천히 보고하는 것'이다. 지금까지 기업에서는 나쁜 사건의 보고를 뒤로 미루다가 더는 은폐할 수 없는 지경이 되어 표면에 드러나는 바람에 이러지도 저러지도 못하게 된 사례가 많다. 또 최근에는 도의적으로 용납되지 않는 사건이 내부 고발로

폭로되어 '어떻게 이런 일이 일상적으로 일어날 수 있지?'라는 실망감을 준 일도 많다. 특히 식품의 경우는 건강과 직결되기 때문에 우리의 건강을 조금씩 좀먹고 있다고 생각하면 음식 하나를 입에 넣을 때마다 경계심이 생겨나 맛을 즐기지 못하게 되는 등 식문화에도 악영향을 끼쳤다.

기업의 경영자는 '나쁜 소식은 즉시 보고하고, 좋은 소식은 천천히 보고한다.'는 생각을 부하 직원들에게 철저히 심어 줌으로써 기업 체질을 바꿔 나가야 한다. 그리고 이를 위해서는 의사소통이 자유로운 조직을 만드는 것이 중요하다. 요컨대 일방적인 상명하달을 최대한 피하고 부하 직원의 의견을 귀담아들으며 발언 기회를 주는 사풍을 만들어야 한다. 그런데 실제로는 부하 직원이 건설적인 의견이 있어도 '말해 봤자 나만 손해'라는 생각에서 입을 닫아 버리는 기업이 늘어나는 것 같아 걱정된다.

다음으로 중요한 것은 ②'실패를 두려워하지 않는 자세'다. 실패는 반드시 일어나게 마련이므로 실패를 두려워해서는 한 발자국도 앞으로 나아갈 수 없다. 실패를 용납하지 못하는 사람이나 조직은 위험하다. 그런데 최근 들어 정부와 지방 자치 단체, 기업에서 실패를 실패라고 인정하지 않고 계속 밀어붙이다 거의 재기 불능의 상태가 되어 개혁 또는 철수를 할 수밖에 없게 된 사례가 늘고 있다.

그리고 ③'아찔한 사고의 법칙을 잊지 않는 것'도 중요하다. 한 가지 중대한 사고의 이면에는 29가지의 경미한(아찔한) 사고가 있으며, 그 이면에는 300가지 이상의 이상(異常)이 존재했다는 경험 법칙은 유명하다. 300가지 이상(異常)의 단계에서, 혹은 29가지 아찔한 사고의 단계에서 손을 쓴다면 중대한 사고를 피할 수 있다. 큰 사고가 일어나기 전에는 반드시 어떤 조짐이 나타나듯이, 기업이 대실패를 할 때도 반드시 조짐이 나타난다.

또한 ④'실패에서 배우는 것' 역시 중요하다. 세상을 보면 좋은 결과에서 교훈을 배우려는 조직은 많지만 나쁜 결과나 실패에서 교훈을 배우려는 자세를 지닌 조직은 그리 많지 않은 것 같다. 실패 사례를 공유하고 여기에서 교훈을 배우는 시스템을 만드는 것은 조직 내에서 똑같은 실패를 반복하지 않기 위한 효과적인 방법이다.

마지막은 ⑤'신뢰 관계를 바탕으로 한 조직을 만드는 것'이다. 사람을 신용하고 의견을 귀담아들으며 자유롭게 발언할 수 있는 사풍을 만들어 나가는 것이야말로 중요한 일이다. 부하 직원이 회사의 방침에 대해 찬성이든 반대든 의견을 자유롭게 말하고 그 의견을 귀 기울여 듣는 풍토가 정착되어야 한다. 만약 윗사람이 귀를 막고 의견을 배척한다면 건설적인 의견이나 반대 의견은 두 번 다시 나오지 않는다. 부하 직원들이 '말해 봤자 나만 손해'라고 생각하는 순간 그 조직은 성장 동력을 잃어 커다란 발전을 기대할 수 없게 된다.

　최근에는 개인의 능력이나 실적 등을 중시하는 성과주의가 중심이 되면서 팀워크가 흔들리고 있다. 그 결과 무사안일, 비협력, 떠넘기기가 만연해 신뢰 관계를 크게 해치고 있다. 일하기 쉬운 직장을 회사나 상사가 만들어 주는 것도 중요하지만, 그곳에서 일하는 사람들이 스스로 만들어 나가는 것 또한 중요하다. 직원 모두가 그렇게 생각한다면 기업은 크게 발전할 것이다.

시점을 바꿔 본다

우리는 지금까지 정부의 대형 자금 원조를 거의 받지 않고 민간 기반으로 연구해 왔다. 앞으로도 이 자세를 유지하면서 느리지만 착실히 연구 활동을 계속해 나갈 것이다.

제 4 장

33
마술 트릭도 배우려면 돈을 내야 하는 법이다

60년도 더 지난 이야기다. 당시 초등학교 저학년이었던 나의 걸음으로 집에서 5분 정도 떨어진 곳에 6층짜리 백화점이 있었다. 그때는 백화점 옥상이 유원지여서, 나는 항상 1층의 식품 매장과 과자 매장을 구경하다가 2층의 여성복 매장은 건너뛰고 3층의 장난감 매장과 문방구 매장, 책 매장 등을 둘러보다가 옥상으로 향했다. 장난감 매장의 한구석에는 트럼프를 비롯해 마술 도구를 파는 곳이 있었는데, 일주일에 한 번이었던가 정해진 시간에 마술 시범을 보여 줬다. 당시의 영업 사원은 요즘처럼 말솜씨가 좋지 않은 대신 이런 식으로 시범을 보여 줬고, 나는 그 매장에서 마술을 보고 완전히 매료되었다.

마술 시범이 끝나면 몇몇 어른은 트릭이 적혀 있는 마술 도구 세트를 구입했다. 그리고 구경꾼이 전부 떠난 뒤에 쇼윈도를 들여다보면 그 안에는 몇 가지 마술 세트가 가격 표시와 함께 진열되어 있었다. 당시 아직 초등학생이었기 때문에 용돈을 넉넉히 받지는 못했지만, 나는 부모님을 졸라서 두세 번에 걸쳐 마술 세트를 몇 개 구입했다.

마술의 종류는 크게 나눠서 트럼프를 사용하는 것과 소도구를 사용하는 것, 이렇게 두 가지였다. 나는 즉시 집으로 돌아와서 두근거리는 마음으로 상자를 열었는데, 소도구를 교묘히 이용해 착각을 일으키는 마술이 대부분이었고 실제 소도구의 가격은 원가로 따지면 마술 세트 가격의 수십 분의 1에 불과했다. 나는 조금 실망했지만, 어쨌든 실제 '트릭'을 모르는 사람이 마술을 보면 참으로 신기해서 그 매력에 빠져들 수밖에 없다. 또 '트릭'과 함께 들어 있는 메모지에는 절대 남에게 가르쳐 주지 말라는 주의 문구가 적혀 있었다.

마술의 '트릭'은 기술의 노하우와 비슷하다. 나는 "기술 내용을 가르쳐 주십시오."라며 연구소를 찾아오는 사람들에게 무료로 노하우를 가르쳐 주는데, 마술의 트릭과 마찬가지로 내용을 알고 나면 "뭐야, 고작 이런 거였어?"라며 가치를 인정하지 않는 사람을 가끔 만난다. 그럴 때면 내 머릿속에는 초등학생 시절에 본 "절대 트릭을 남에게 가르쳐 주지 마시오."라는 문구가 떠오른다.

우리는 기술을 축적해 나가면서 작은 발상을 놀라운 기술로 연결시키고 있는데, 앞으로는 새로 확립한 기술의 가치에 대한 평가를 높이고자 노력해야 한다. 또 기술의 재생산을 위해서도 일정 비용을 부담케 하거나 사업에 이용될 경우 매출의 몇 퍼센트를 제공 받아 그 자금을 새로운 발상과 기술 개발에 사용해야 할 것이다.

34
사람들에게 놀라움을, 사람들에게 즐거움을

마술이라고 하면 이런 추억도 떠오른다. 슬슬 졸업을 앞둔 중학교 3학년 때였는데, 사은회였는지 다른 행사였는지는 정확히 기억이 나지 않지만 400명이 넘는 학생들 앞에서 무대에 서서 화학 마술을 했다. 포도주라고 소개한 자주색 액체를 순식간에 투명하게 바꾸는 마술이다. 트릭을 밝히자면 요오드 녹말 반응†을 이용한 것인데, 이 마술로 모두를 놀라게 했다.

또 중학교 3학년쯤에는 최면술에도 흥미를 느껴서 공부는 뒷전으로 미루고 책방에서 발견한 책을 정신없이 읽었다. 그러나 초등학생 시절부터 공부와는 담을 쌓은 열등생이자 남을 웃기는 것이 특기인 인기인이었던 탓에 최면술을 걸려고 해도 사람들이 집중하지 못하고 자꾸 웃는 바람에 전혀 효과가 없었다. 그래서 '기껏 최면술을 거는 법을 마스터했는데…….'라고 생각하며 나를 완전히 신용하던 친구에게 시험해 봤는데, 그랬더니 멋지게 최면술이 성공했다. 고등학생이 되어서는 주식 거래를 했고, 대학에서는 심리학에 흥미를 느껴서 도서관에 틀어박혀 길포드의 SOI† 이론, 로르샤흐 테스트† 참고서 등을 닥치는 대로 읽었다.

이와 같이 나는 흥미를 느낀 것에 철저히 몰두하는 성격이었던 듯하다. 대학교 3학년 때 딱 한 번 백화점에서 아르바이트를 했는데, 그때 전혀 팔리지 않던 상품을 전부 팔아 버려서 유명해졌다. 그랬더니 매장 점원은 물론이고 사무직 사원까지 내가 누구인지 관심을 보였고, 덕분에 여성 몇 명과 교제하기도 했다. 대학교 4학년 때도 졸업 연구에 전념은 했지만, 가끔 연구실에서 빠져나와 데이트를 즐겼다. 나카무라 교수님은 그런 나를 '반카라[†] 플레이보이'라고 불렀다. 무엇이든 흥미를 품고 두근거리는 마음으로 즐겁게 몰두해 온 젊은 날의 생활, 이것이야말로 그 후의 연구 생활에서 여러 가지 우연과 만날 수 있었던 토대가 아닐까 싶다.

[†] 요오드가 녹말과 반응하면 보라색으로 변하는 반응. 가열하면 색이 사라진다.

[†] Structure of Intelligence: 지능 구조 모형으로 지능의 다요인론에 기여.

[†] 스위스의 정신 의학자 헤르만 로르샤흐가 발표한 인격 진단 검사. 좌우 대칭의 잉크 얼룩이 있는 열 장의 카드가 어떻게 보이는가에 따라 피험자의 성격이나 정신 상태, 무의식적 욕망 등을 판단하는 심리학 진단법.

[†] 낡은 교복에 나막신을 신고 다니는 정의감과 반항심이 있는 학생을 일컫던 과거의 유행어.

35
그 영업 방식은 오히려 살 마음을
없애 버리고 있지 않은가?

과거에는 '1억 총 중산층'이라는 말이 있었지만, 최근에는 빈부 격차가 벌어지고 있다. 연공서열 제도가 무너지고 프리터와 니트, 실업자가 늘어났으며 평균적으로는 수입이 감소한 사람이 많아진 결과 저축해 놓은 돈이 없는 사람이 10년 만에 '열 명 중 한 명'에서 '네 명 중 한 명'으로 증가했다. 제로 금리 정책이 계속되는 가운데 기업의 체질은 강화되고 경기는 바닥을 탈출해 상승했다고 하지만 일하는 사람들에게는 도저히 체감이 되지 않는다.

허업(虛業)이라고 하면 지나친 말일지도 모르지만, 돈만 움직일 뿐이며 게다가 흥정한 운용이 아니라 교묘한 방법으로 거액의 부를 쌓고 있는 자, 일본의 경제 정책의 핵심인 금리 정책을 담당하는 일본은행 총재의 한심한 자금 운용, 대학교수의 공적 자금 부정 운용 사건 등 짜증 나는 사건이 늘고 있다. 또 최근에는 부유층을 노린 납치 등 돈을 둘러싼 사건도 빈발하고 있다. 물론 돈이 중요한 것은 사실이지만, 그렇다고 해도 인간의 욕망이 적나라하게 드러나는 사건의 연속이다.

격차가 확대되는 가운데 부유층을 타깃으로 삼은 은행과 증권 회사의 금융 상품이나 고급 자동차의 판매가 활발해졌다. 한편으로는 100엔 숍을 비롯한 대형 양판점도 대두했다. 빈부 격차는 확실히 커지고 있다.

나는 최근에 부유층을 타깃으로 삼은 어느 고급 승용차를 사려고 했는데, 판매 회사가 나를 교묘히 부추기는 형태로 계속 다이렉트 메일을 보내고 전화를 보내는 바람에 솔직히 말해 진절머리가 났다. 나는 그 고급차의 예전 모델을 타고 있었기 때문에 성능이 우수하고 승차감이 좋으며 장거리 운전을 해도 피곤하지 않을 것임은 충분히 상상하고 있다. 연비를 생각해서 하이브리드 모델로 살까 생각도 하고 있다. 그런데 이런 식으로 나오니 사고 싶은 마음이 사라져 버린다. 좋은 물건은 가만히 있어도 자연스럽게 팔리며 인기도 점점 높아지게 되어 있다. 이 고급차의 경우 판매 전략이 잘못되었다고 생각한다. 실제로 신문 등의 기사에 따르면 당초 예상의 절반 정도밖에 팔리지 않았다고 한다. 이래서는 그 차를 만드는 사람들이 불쌍하다.

36
나라의 미래를 생각한다면 초등학교 교원의
급여를 높여야 한다

2006년 5월 중순의 신문 기사에 '교육'에 관한 전국 여론 조사 (면접 방식) 결과가 발표되었다. 조사에 따르면 부모의 경제력 차이에 따라 자식의 학력 격차도 벌어지고 있다고 느끼는 사람이 75퍼센트에 달했다. 이 결과는 양극화 사회의 확대가 지적되고 있는 가운데 소득 격차가 교육 환경을 좌우해 자녀의 학력 격차로 이어지고 있다고 의식하는 사람이 많아졌음을 보여준다. 또 요즘 아이들의 학력이 예전에 비해 저하되었다고 생각하는 사람은 60퍼센트가 넘었으며, 초등학교 영어 교육 필수화에 찬성하는 사람은 67퍼센트였다.

'가족의 경제력에 따라 자녀의 학력 격차가 벌어지고 있다.'는 지적에 '그렇게 생각한다.' 혹은 '비교적 그렇다.'고 긍정한 사람이 75퍼센트로서 '그렇게 생각하지 않는다.'고 대답한 21퍼센트를 크게 웃돌았다. 초등학교가 기본 바탕으로 삼아야 하는 것은 다음 세대를 짊어질 아동에 대한 진정한 교육이다. 점수만으로 평가하는 기존의 편차치 교육을 재고하고 인간성이 풍부하며 눈빛이 반짝반짝 빛나는 아이들로 키우는 데 힘들을 쏟아야 한다. 이를 위해서는 교원의 지위를 향상시켜야 하며, 아동과 학부형으로부터 훌륭한 선생님으로 평가 받아야 한다. 미래를 짊어질 아이를 육성하겠다는 높은 뜻을 가지고 선생님이 되려고 하는 사람이 과연 얼마나 있을까?

회사원화 된 선생님에서 존경 받는 교육 전문가로 바뀌려면 과감히 급여를 인상해 생활을 안정시킴으로써 교육에 전념할 수 있는 환경을 만드는 것이 급선무다. 현 시점에서는 처음부터 교원을 지망하는 젊은이의 수가 적을 것이다. 만약 교원의 급여가 두 배, 아니 세 배가 된다면 아동 교육에 공헌하겠다는 지망자가 크게 늘어날 것이 틀림없다. 또한 아이들의 이과 이탈로 공업 입국 일본의 미래가 위험해지고 있는 가운데 단카이 세대의 활용에도 기대를 건다. 교육에 자신 있는 사람이 미래를 짊어질 아동과 학생의 지도에 자원 봉사로 참여하면 어떨까? 대학도 산업계와 손잡고 교육 연구에 임하며 능력 있는 사람에게 특별 강사로서 지도를 맡긴다면 매우 효과적일 것이다.

37
정부의 연구 자금을 분배하는
더 좋은 방법이 있다

비록 빚더미에 깔려 있는 상태지만, 일본 정부는 미래의 기술력을 높이겠다는 의지를 전면에 내걸고 있다. IT와 바이오, 나노 테크놀로지, 환경, 복지를 앞으로의 중점 분야로 지정하고 대학에 수조 엔에 이르는 연구 자금을 경쟁 방식으로 배분해 왔다. 그러나 과연 이런 방식으로 얼마나 효과를 발휘해 왔는지 의문이 든다. 연구 자금의 부정 사용 문제를 계기로 슈퍼 COE†와 일반 COE를 비롯한 경쟁형 프로젝트의 회계와 실적 검사가 엄격해졌고, 향후 3년간 중간 심사를 강화해 3분의 1에서 절반 정도의 프로젝트를 중지시킬 계획이라고 한다. 물론 엄격해지는 것은 좋지만, 각 대학이 연구를 추진하면서 많은 포스닥을 채용해 온 사실을 잊어서는 안 된다.

현재 포스닥의 수는 약 1만 8000명이다. 그들의 계약 기간은 5년 정도이며, 생활을 보장하기 위해 30대 후반의 경우 연봉을 600만 엔 이상 주고 있다고 한다. 프로젝트 리더인 교수가 급여를 결정할 수 있기 때문에 더 많은 실적을 올리기 위해 급여도 높여 온 모양이다. 개중에는 30대 후반에 800만 엔

을 받는 사람도 있다고 한다. 이런 사
람들은 프로젝트가 끝나면 어떻게 될
까? 민간 기업의 연봉은 30대 후반
의 경우 대부분 500만 엔 이하일 터

† Center of Excellence:
우수한 인재와 최첨단 설비를
갖춰 세계적으로 평가 받는
연구 기관 또는 연구자를
위한 최첨단 연구 환경.

인데, 일단 생활 수준이 600만 엔 이상에 맞춰진 사람들이 과
연 500만 엔 이하의 생활을 할 수 있을까? 우리 같은 전쟁 이전
세대나 전쟁 직후 세대는 얼마를 받든 간에 그에 맞춰서 생활할
수 있지만, 최근의 젊은 사람들은 그러기가 쉽지 않을 것이다.
2만 명에 가까운 이들 포스닥은 장래에 어떻게 될까? 그들은 연
구 활동에서 실적을 올리고 있다고 하지만, 과학의 아주 좁은
영역의 연구를 깊게 추구하고 있기 때문에 자신과 분야가 같은
민간 기업을 찾을 수 있다는 보장도 없다. 머지않은 미래에 커
다란 사회 문제가 되지 않을까 걱정된다.

정부는 자금 유용 문제를 일으키는 기존의 체질을 분석하
고 자금을 집중시키는 경쟁 방식을 줄이는 대신 엄정한 평가 기
관을 만들어 실적을 올린 대학의 연구원들에게 배분하는 방식
으로 전환해야 한다. 우리는 지금까지 정부의 대형 자금 원조를
거의 받지 않고 민간 기반으로 연구해 왔다. 앞으로도 이 자세를
유지하면서 느리지만 착실히 연구 활동을 계속해 나갈 것이다.

38
민간 엔지니어를 교육계로 보내자

일본의 과학 기술을 뒷받침하는 대학 공학부의 지원자가 최근 10년 사이에 절반으로 줄어들었고 지금도 하락세가 멈추지 않고 있다. 과장된 표현일지도 모르지만 많은 대학의 공학부가 존망의 기로에 서 있으며, 이대로 가면 일본의 산업계에 결정적인 타격이 될 수 있다. 1995년에 57만 4000명이었던 공학부 지원자가 2005년에는 33만 2000명으로 감소했다. 그런데 같은 기간 동안 의·치·약학부 지원자는 23만 9000명에서 28만 5000명으로, 이학 요법사 등의 자격 취득이 가능한 간호·의료·보건학부는 5만 명에서 11만 명으로 증가했다.

공학부가 인기가 없는 이유로는 자격 취득으로 직접 연결되지 않아 취업에 불리하고, 진득이 앉아서 공부나 실험을 해야 하기 때문에 문과 계열에 비해 부담이 커서 수지가 맞지 않으며, 생애 임금이 문과 계열, 특히 은행이나 증권업에 비해 상당히 낮다는 점 등이 꼽힌다. 그래서 공학을 좋아해 장래에 그 분야에서 활약하고 싶어 하는 고등학생을 제외하면 안정 지향 성향이 강한 학생이나 보호자는 공학부를 기피하는 것이다. 각 대학은 이에 대한 대책으로 '시대의 변화에 대응하고 수험생에게 좋은 인상을 주도록' 학과의 명칭을 변경하거나 재편을 꾀하고 있다. 그러나 명칭을 바꾸는 등의 이미지 전략은 효과가 오래 지속되지 않는다.

최근 각 대학은 공학부 전체를 홍보하기 위해 공학에 흥미가 있는 고등학생을 대상으로 실험을 통해 그 중요성을 이해시키려는 활동을 펼치고 있다. 이미 화학 분야에서는 학회가 앞장서는 형태로 각 대학이 여름 방학 등의 시기에 '꿈화학'이라는 이름의 실험 강좌를 개최하고 있다. 이런 식의 작지만 꾸준한 활동은 마치 보디 블로처럼 조금씩 누적되어 훗날 효과를 발휘할 것이다. 또한 각 대학은 출장 강좌라는 명칭으로 대학 교원이 고등학교를 찾아가 학생들에게 공학의 재미를 알려 주는 시도도 하고 있다. 나도 "웃음을 주는 영업 사원으로서 어디라도 가겠습니다."라고 말했는데, 배려 차원인지 이런 강좌가 있다는 형식적인 안내만 고등학교에 한 모양이다. 이래서는 아무런 의미도 없다.

요점은 '물건'을 만들기 위한 과학과 기술을 연구한다는 '공학'의 목적과 중요성, 필요성을 고등학생과 고등학교까지의 교원들에게 이해시키기 위한 적극적인 수단을 마련해야 한다. '공학'은 가장 기본적인 자연 과학과 직결되어 있고 새로운 지식을 받아들여 제품 제조의 범위를 넓혀 가고 있음을 인식시켜야 하며, '공학'은 역동적이며 매력 넘치는 학문임을 널리 홍보

해야 한다. 요즘 젊은이들에게 호감을 사려고 학과의 명칭을 영어로 바꾸거나 우리 교원들조차 제대로 이해하지 못할 만큼 복잡하게 학과 편성을 한다 해도 1~2년은 수험생이 늘어날지 모르지만 언젠가는 약효가 떨어질 수밖에 없다.

　공학부에서 공부하는 즐거움, 미래의 엔지니어로서 활약하겠다는 꿈과 희망, 그리고 미래가 확실히 보장되지 않는다면 공학부는 점점 고사할 것이다. 공학 계열이 과학 기술을 견인하고 있다는 인식을 고등학교에서 진로 지도를 담당하는 교사, 나아가서는 초·중학교 교사들이 이해하고 공학의 중요성과 즐거움을 가르쳤으면 한다. 부디 기술 입국 일본의 재건을 위해 본질적인 논의를 하기 바란다. 특히 기업에서 활약한 엔지니어를 중심으로 교육에 열정이 있는 민간인의 채용을 늘리도록 일찌감치 행동을 취해야 한다.

39
'왜?'라는 관점을 잊어버리지는 않았는가?

나는 거만을 떨거나 권위 의식을 갖거나 거리를 두지 않고 한 사람의 인간으로서 학생들을 대해 왔다. 젊었을 때는 학생들의 형, 중년 이후에는 삼촌 또는 아버지라는 생각으로 나의 마음을 그대로 전했으며 상담에도 기꺼이 응해 왔다. 학생들의 심각한 고민이나 그들의 미래에 관해 진지하게 이야기를 나눌 수 있는 관계를 유지하도록 노력해 왔다. 일방적으로 내 생각을 강요하지 않고 대화를 통해 학생들이 문제 해결 능력을 키우도록 돕고 싶었고, 올바른 윤리관을 심어 주고 싶었다. 또한 그들과 이야기를 나누면서 많은 것을 배운 것도 사실이다. 이와 같이 연구 결과를 가지고 토론하기보다 오히려 어떻게 충실한 인생을 보낼 것인가를 화제로 삼으면서 대선배의 한 사람으로서 학생들을 대해 왔다. 지금까지 400명이 넘는 후배가 내 곁을 떠나 사회에 진출했으며, 학생과 나의 관계는 신기하게도 어떤 측면에서는 부모 이상으로 친밀해졌다.

학생과의 관계는 이해관계가 전혀 없고 긴장할 필요도 없으며 그들이 인간적으로도 성장해 줄 것을 바라는 순수한 관계다. 그런데 학생이나 옛 친구 이외에 그다지 친분이 없었던 사람과 신뢰 관계를 쌓기는 상당히 어렵다. 각자의 커리어, 과거 경험은 천차만별이며, 이를 통해 개개인의 인생관과 성격이 형성된다. 그러므로 십인십색, 다양한 가치관이 있음을 인정해야 한다. 쓸데없이 참견하거나 자신의 생각을 강요하는 것은 엄격히 자제해야 한다. 자신이 성실하게 살면 그것으로 충분하다. 남에게 속더라도 남을 속이지는 말자.

　　요즘은 학생과의 나이 차이가 아버지라기보다 할아버지에 가까워진 까닭에 사례 연구로서 다양한 화제를 제공하고 과거의 경험을 공유하면서 학생들과 의견을 교환하려고 노력하고 있다. 기술은 실험과 결과의 축적이다. 우리도 선배의 경험 위에서 기초부터 연구를 진행해 왔다. 그러나 그 분야의 기술이 성숙기에 접어들면 후진 연구자들은 '이건 원래 이런 거야.'라는 선입견을 갖게 되어 '왜 이렇게 되는 것이지?'라는 의문을 품지 않은 채 그대로 받아들이고 만다. 따라서 어떤 문제가 발생했을 때도 문제 해결 능력이 떨어진다. 그래서 나는 특히 최근 들어 학생이나 기업의 젊은 기술자들에게 기술 전승과 함께 연구 개발 능력을 향상시킬 방법을 모색해 왔다. 그리고 2010년 말부터 기업의 기술자들을 대상으로 학생들과 했던 연구에 대해 이야기하는 자리를 '창조의 발자취'라는 제목으로 1년에 몇 차례 정도 마련하게 되었다. 40년 이상에 걸쳐 연구해 온 원저 논문 200편 정도를 전부 PDF 파일로 변환하고 분야별로 나눴다. 그리고 각 연구의 담당 학생이나 기업의 기술자를 정해 연구 내용을 설명케 한 다음 내가 연구의 의도와 발상의 경위를 이야기한다. 그런 교류의 장이다.

40

지(知)의 활용이란 무엇인지
올바르게 인식하자

일본 산업계의 기술력이 저하되어 선두 그룹에서 탈락했다는 위기감에서 '대학의 지(知)의 활용'과 산학 협동을 외치는 목소리가 커졌다. 대학이나 연구소에서 키운 기술력을 산업계로 연결하지 않는다면 단순한 자기만족이며, 산업계에 공헌하지 않는한 대학의 연구는 무의미하다는 생각이 침투하고 있다. 외부 평가 기관이 교육 능력이나 연구 능력을 평가하는 방식의 폐해도있다. 이 평가 항목이 획일적인 탓에 대학의 대책이 하나같이 똑같다. 문부과학성이나 대학 기준 협회 등은 "각 대학이 특색을드러낼 수 있도록 지도하고 있다."라고 주장하겠지만, 현실은 모든 대학이 당장 발등에 떨어진 불을 끄기에 급급한 상황이다.

모든 세상이 실적 중심, 경쟁 원리에 따라 움직이면서 마음의 여유가 사라지고 살벌한 세상이 되고 있다. 그 결과 연구 내용은 단기적으로 실현 가능성이 높은 주제에 집중되고 있다. 과연 이런 경향이 대학의 본래 사명일까? '대학의 지의 활용'이이렇게 트렌드나 첨단 기술에만 집중되고 단기적인 성과와 실용화에만 관심이 쏠린다면 기초 능력, 나아가서는 기술력이 크게 저하되지 않을까 우려된다. 또한 21세기에 들어와 IT 사회가 되면서 휴대 전화나 컴퓨터 등을 통한 대화가 늘어나고 직접 대화를 나눌 기회는 줄어든 것도 마음에 걸린다. 풍부한 감정이 결여되고 무엇이든 디지털적으로 판단하려고 하는 경향이 강해지고 있는데, 이것은 사람이 사람을 상대할 때 매우 커다란 문제가 된다. 지금 중요한 것은 정신적인 풍요가 아닐까?

얼마 전에 교원들과 이야기를 나누다가 퇴직을 눈앞에 둔 선생이 "다들 정보화, 정보화 그러는데, 정보(情報)를 한자 그대로 해석하면 정을 갚다잖아? 그런데 요즘 특히 젊은 선생들은 왜 그렇게 정이 없는지 모르겠어."라는 말을 했다. 이런 시대기에 더더욱 진정한 '교육'이 중요한 과제다. 우리는 풍부한 인간성과 올바른 윤리관을 가진, 기억력 중심의 평가에서 벗어나 창조성이 풍부한 인재를 양성할 필요가 있다. 나는 이것이 앞으로 대학의 중요한 사명이라고 확신한다.

41
이메일은 만능이 아니다. 오감을 사용해 대화하자

우리는 언제부터 이메일을 커뮤니케이션의 도구로 사용하기 시작했을까? 정확한 시기는 기억이 안 나지만 십수 년은 더 지났을 것이다. 지금은 하루에 50~60건 정도의 이메일을 수신하며, 이 가운데 답장을 해야 하는 이메일은 대략 35~40건이다. 나머지는 학회 등에서 보낸 알림이나 광고, 스팸 메일이다. 어쨌든 이메일은 이제 연락을 할 때 없어서는 안 될 도구가 되었다. 15년 정도 전까지는 전화로 연락하는 일이 많았지만, 지금은 빠르고 편리하다는 이유에서 대부분의 연락에 이메일을 이용하고 있다. 대학의 사무실이나 집에 있는 일반 전화를 사용하는 일은 크게 줄어들었다. 다만 주의할 점도 있다. 이메일은 분명히 편리한 커뮤니케이션 도구이지만 오해를 낳기 쉽다는 측면도 있으므로 복잡하고 설명에 시간이 걸리는 내용은 이메일이 아니라 전화로 대화하는 편이 불필요한 오해를 줄일 수 있다. 이메일은 사소한 표현으로 상대에게 상처를 줄 수도 있고 이쪽의 의도와는 다른 의미로 해석되는 경우도 많다. 개중에는 이메일로 커뮤니케이션을 하는 사이에 작은 의견 차이에서 대화가 꼬여 서로를 불신하게 되는 경우까지도 있다.

　나는 요즘 들어 상대를 보며 이야기할 때는 정의감에 불타올라 직구 승부를 하는 일이 많아졌는데, 이메일을 보낼 때는 감정이 전달되지 않기 때문에 조심조심 글을 쓴다. 그러나 내 딴에는 조심한다고 해도 개중에는 호전적이고 한 발도 물러서려고 하지 않는 사람도 있어서 씁쓸한 경험을 한 적도 있다. 직접 만나 이야기도 해 봤지만, 도전적이고 선배를 존중하는 마음이 느껴지지 않아 앙금이 남아 있다. 다행인지 불행인지 감정적, 호전적으로 주고받은 이메일은 보관했던 컴퓨터가 바이러스에 걸린 탓에 이제 남아 있지 않다. 너무나 어처구니가 없고 강렬한 경험이었기에 내 기억 속에는 지금도 어두운 기억으로 남아 있지만……. 이와 마찬가지로 나는 기억하지 못하지만, 오해를 사거나 나도 모르는 사이에 상대에게 상처를 준 적도 있을 것 같아 걱정스럽다.

　이메일이 오해를 낳기 쉬운 이유는 무엇일까? 그 원인은 서로 얼굴을 보면서 커뮤니케이션을 할 때보다 전달되는 정보의 양이 적기 때문이다. 그래서 나는 업무 연락 등의 알림은 짧게 쓰려고 노력한다. 또 시간이 걸리는 상담에 이메일을 이용하거나 이메일로 나의 의견을 말하는 것은 가급적 피하고, 간단한 이메일을 보낸 뒤에 본인을 직접 만나거나 전화로 이야기한다. 길게 글을 써서 보내면 바쁜 사람은 읽느라 짜증이 날 것이므로 자신의 생각을 열심히 전하려고 해도 효과가 떨어질 수밖에 없다.

우리는 커뮤니케이션을 할 때 말과 함께 상대의 표정을 읽고 목소리의 톤을 감지하는 등 오감을 전부 활용한다. 나는 젊었을 때 치아 건강에 전혀 신경을 쓰지 않은 탓에 '80세에도 치아를 20개는 남기자.'는 캠페인이 무색하게 수많은 인공물을 입속에 집어넣은 신세가 되었다. 그 때문인지 발음이 좋지 않아서, 강의나 강연, 미팅 등을 할 때 상대가 내 말을 이해하는지 확인할 겸, 또 최근에 게을리 한 영어 청취도 할 겸 IC 리코더를 새로 샀다. 약 10년 전에 구입했던 IC 리코더는 녹음 시간이 짧았는데 이번에 산 제품은 무려 24시간을 녹음할 수 있다.

나는 학생들과 미팅을 하면서 새로 산 IC 리코더로 그 내용을 녹음해 들어 봤다. 내 딴에는 어느 정도 공통어를 구사하고 있다고 생각했는데, 50년이나 요코하마에서 살았음에도 고향인 도야마 말의 억양이 사라지지 않았고 말도 빨라서 듣기가 어려웠다. 그래서 이대로는 안 되겠다 싶어 고치려고 노력했지만 아무리 의식해도 교정이 되지 않아서 결국 포기했다. 그리고 얼굴을 보면서 커뮤니케이션을 하면 오감을 사용하게 되므로 발음이 조금 나쁘고 지방 말의 억양이 섞여 있어도 의미는 충분히 전해진다고 자기 합리화를 해 버렸다. 결국 내가 하고 싶은 말은 현대 사회에서는 커뮤니케이션이 부족하기 쉬우므로 가급적 직접 만나서 이야기하거나 전화로 대화하는 편이 좋다는 것이다.

제조업에 몸담고 있는 젊은 그대에게

벽에 부딪혔을 때도 한계까지 노력해 보자.
그러면 신기하게도 해결책이 보일 때가 많다. 발상도 마찬가지여서
거의 한계에 다다랐을 때 번뜩인 아이디어가 새로운 기술 개발로
이어짐을 알아 두자.

제 5 장

42
이런 시대이기에 더더욱 자신의 의견을 갖자

젊은 사람들에게 고하고 싶다. 이런 시대이기에 더더욱 앞을 향해 나아가자. 이 장은 내가 젊은 기술자들에게 보내는 메시지다. '42'부터 '47'까지 여섯 항의 제목을 무엇보다 먼저 그들에게 선물하고 싶다.

제일 먼저 하고 싶은 이야기는, 기술과 관련된 일을 할 때는 자신의 의견을 갖고 위를 향해 나아가라는 것이다. 또한 그러면서도 항상 협조성을 의식하는 것이 중요하다. 우리 세대가 젊었을 때는 기술 개발이 꿈이었다. 다들 긍정적이고 진지한 마음으로 기술 개발을 위해 노력해 왔다. 그런데 최근 20년을 되돌아보면 성숙에서 침체의 시대에 돌입하면서 기술보다 비용을 우선하게 되었다. 기술 개발에 대해 꿈도 열정도 잃어버린 젊은이가 많다는 생각을 감출 수 없다.

최근의 암울한 상태에서 벗어나려면 젊은 사람들이 어떤 의식을 가져야 할까? 뉴스를 틀면 하루가 멀다 하고 기술의 해외 이전, 비용 우선 등의 소식이 들린다. 이런 소식을 들으면 일본의 기술 관련 직업은 앞으로 어떻게 될지 불안해지는 것이 사실이다. 이런 암울한 상황을 타파하려면 정부는 물론이고 개인에게도 적극적이고 강력한 자세가 필요하다. 처음에는 잘 안 풀리더라도 더 발전하겠다는 마음가짐으로 매일 조금씩 나아간다면 반드시 전진할 수 있을 것이다. 전진하기 위한 아이디어를 자기 나름대로 궁리해서 제안할 수 있는 사람이 되자. 다만 자신만 성공하면 된다고 생각해서는 안 된다. 어떻게 해야 주위 사람들도 행복해질 수 있을지 생각하자.

43
성공한 사람이 되기 위한 시나리오를 쓰자

계획을 세우고 일을 진행하며, 항상 PDCA(Plan-Do-Check-Action, 계획-실행-평가-개선)의 사이클에 따라 앞으로 나아가자. 계획대로 일이 진행되지 않았다고 해서 포기할 필요는 없다. 반드시 성공할 것이라고 믿자.

여러분은 성공한 사람이 되기 위한 시나리오를 쓰고 있는가? 앞날에 대한 불안감으로 인해 소극적이 되는 사람이 많다. 물론 성공만이 인생의 목적은 아니다. 그러나 목표가 없으면 자신이 나아가야 할 길을 정하기가 매우 어렵다. 먼저 자신이 어떻게 기술 관련 일을 할지 아이디어를 내면 그 단계에서 성공할지 못할지를 감각적으로 알 수 있다. 최근의 경향이지만, 남이 시키지 않으면 일을 못하는 수동적인 사람이 되지는 않았는지 조금 생각해 보기 바란다. 남의 밑에서 일하는 사람은 항상 명령을 받고 움직이기 때문에 자신의 리듬으로는 기술 관련 일을 하지 못한다. 능동적으로 일하지 않는 한 만족을 얻을 수 없음을 알아 두자.

44
실패 속에서 새로운 성공을 이끌어 내자

자신의 능력을 믿자. 한계는 없다. 항상 능동적으로 일을 진행하려고 노력하자. 성숙되고 정체된 사회가 되면서 젊은이든 중년층이든 불평만 늘어놓는 사람이 많아졌다. 연구나 기술 개발을 설계할 때 어느 정도 선견성과 치밀함이 없으면 생각만큼 성과를 낼 수 없다. 젊었을 때는 좀처럼 깨닫지 못하지만, 의지가 강한 사람은 대부분 한 단계를 지날 때마다 목표를 다시 설정하며 항상 실험이나 연구의 진척 상황과 해석을 충분히 이해하려고 노력한다. 물론 계획대로 진행되는 것이 가장 바람직하지만, 그렇지 않더라도 새로운 발견을 할 수 있을 때가 많다. 항상 도전하며 목표에 도달하려는 노력을 잊지 말기 바란다.

가령 갓 입사해 아무것도 모를 때는 기술 개발의 일부만을 담당하게 되겠지만, 자신이 맡은 역할을 소중히 생각하며 실패를 두려워하지 않고 직면하는 문제를 해결해 나가자. 능력에는 한계가 없다. 정신력을 단련하면 무한대의 가능성이 펼쳐진다. 한계가 있다면 그것은 스스로 족쇄를 채우고 있는 것이다. 모든 일에 도전하고, 언제나 자신이 나서서 일을 진행하자. 그러는 과정에서 실패할 때도 있을지 모르지만, 실패를 두려워하지 않고 끊임없이 도전하는 힘을 키우자. 또 실패라고 생각한 것 속에 새로운 발견이 숨어 있을 때가 많다는 사실도 잊지 말기 바란다.

45
정보를 주는 동료를 소중히 생각하자

자신이 지금 놓인 처지뿐만 아니라 상대의 다양한 처지나 다른 세상에 대해서도 균형 있게 조사하고 연구하자. 그러려면 정보를 주는 동료가 필요하다. 무슨 일이든 혼자서 진행하기는 결코 쉽지 않다. 동료와 협조하고 상대의 처지를 배려하자. 어떤 일이든 억지로 밀어붙이면 상대가 충분히 힘을 발휘하지 못해 도움이 되지 않는다. 항상 주위의 정보를 모으며 균형 잡힌 방법을 조사하자. 그 방법이나 타이밍을 알아내기는 매우 어렵지만, 경험을 쌓다 보면 요령이 생긴다. 그런 기술을 익혀서 여러 분야의 사람들과 협력하고, 또 일본뿐만 아니라 전 세계에 동료를 두어 시야를 크게 넓히자.

외국어를 모른다는 이유로 외국 동료를 만드는 데 부담감을 느끼고 있지는 않은가? 커뮤니케이션은 종이에 그림을 그리면서도 할 수 있다. 이름은 밝히지 못하지만 지금도 표면 처리 업계에서 활약하고 있는 한 후배는 영어를 전혀 못하지만 미국이든 다른 어떤 나라든 조금도 겁내지 않고 돌아다닌다. 다만 외국어를 할 줄 안다면 좀 더 깊은 정보를 원활하게 주고받을 수 있음은 분명한 사실이다. 그러므로 필요한 언어를 평소에 꾸

준히 공부해 두자. 특히 영어는 세계 공통어이므로 일상 회화
정도는 충분히 가능하도록 평소부터 의식적으로 훈련하기 바
란다.

46
실패했을 때일수록 한계까지 버텨 보자

마지막까지 포기하지 않는 인내력을 키우자. 지금까지 해 본 적이 없었던 일을 성공시키는 과정에는 커다란 어려움이 기다린다. 목표를 향해 전진하지 못할 때도 있을지 모르지만, 항상 그 벽을 부수려고 노력하자. 실패했을 때는 무작정 돌진하지 말고 잠시 멈춰 서서 왜 실패했는지 곰곰이 생각하고 실패하지 않을 방법을 여러 각도에서 궁리한다. 해결책이 쉽게 발견되지는 않겠지만, 반드시 찾아내겠다는 마음가짐을 갖자.

이 이상은 체력이 남아 있지 않지만 어떻게든 해야 하는 한계 상태가 되면 신기하게도 해결책이 발견되는 경우가 많다. 발상도 마찬가지여서, 거의 한계에 다다랐을 때 번뜩인 아이디어가 새로운 기술 개발로 이어지는 법이다. 젊었을 때의 성공 체험은 그 후의 인생에 커다란 영향을 끼친다. 성공해 본 경험이 없는 사람은 성공의 기쁨을 모르기 때문에 리스크를 헤치며 앞으로 나아가기를 주저하기 쉽다. 작은 성공의 축적이 커다란 성공을 이끌어 낸다.

47
컨디션이 나쁠 때도 자신을 조절하자

무슨 일을 하든지 몸, 그러니까 건강이 중요하다. 건강 상태가 항상 좋기만 할 수는 없다. 그러므로 어떤 때라도 자신을 조절할 수 있도록 하자. 사회인은 책임감을 갖고 기술 업무에 임해야 한다. 사람인 이상 절대 병에 걸리지 않기는 불가능하다. 감기에 절대 걸리지 않는 사람은 없다. 그러나 본인의 부주의로 감기에 걸리거나 복통을 일으켜 회사를 쉬는 사원이 있다면 함께 일하는 사람은 어떻게 생각할까? 자신이 회사를 쉬면 동료들은 자신의 몫까지 일해야 하는 부담을 떠안게 됨을 명심해야 한다. 그러므로 항상 건강 관리에 유의하며 병에 잘 걸리지 않는 몸을 만들자.

최근에는 컨디션 관리를 못하는 젊은이가 많아졌다. 가끔은 몸의 컨디션이 나쁘지만 일을 해야 하는 상황과 조우한다. 그럴 때는 자신의 체력의 한계가 어느 정도인지 알고 잘 조절할 수 있도록 하자. 무리하다 쓰러져 버리면 오히려 동료들에게 더 큰 폐를 끼치게 된다. 몸이 약한 사람일수록 컨디션을 조절할 수 있도록 노력하고, 업무에 구멍이 생기지 않도록 건강 관리 능력을 키우자. 병약하면 집중력과 지속력이 크게 저하되며 좋은 아이디어도 떠오르지 않는다. 또 병에 걸렸을 경우는 휴식을 취하는 용기도 필요하다.

48
일을 하고 있는가, 아니면 그저
움직이고만 있는가?

앞으로는 저출산 고령화 사회가 되고 정사원이 되기를 포기한 프리터와 니트의 증가로 양극화가 점점 확대되어 사회 구조가 불안정해질 것이다. 프리터 인구가 증가하는 배경은 프리터로 일하는 편이 단기적으로는 신입 사원보다 수입이 좋고, 또 많은 기업이 정사원 채용을 크게 줄이는 대신 파견 사원을 늘려 왔기 때문이다. 프리터는 노동력의 제공만을 요구받으며 기술이 향상되지 않기 때문에 아무리 오래 일해도 직업 경력(職業經歷)으로 인정받지 못한다. 또 기업은 재정상 정사원을 고용할 수 없기 때문에 프리터로 대체하고 있다. 즉 프리터는 낮은 임금으로 고용할 수 있다는 점에서 수요가 있지만, 이것이 악순환에 빠져 궁극적으로는 일본의 기능, 기술력을 크게 저하시키고 있다. 프리터로 사는 것에 만족하는 젊은이는 많지 않을 것이다. 앞으로 대졸 신입 사원의 채용 증가가 요구된다.

2005년 말의 내진 강도 위장 의혹[†]을 시작으로 2006년에는 증권 시장에 격진이 일어났다.[†] 두 사건 모두 내막이 밝혀짐에 따라 인간의 추악한 욕망과 약한 마음, 윤리관 결여가 부각

젊은 공학도에게 전하는 50가지 이야기

됐다. 마음의 풍요가 결여된 물질 지상주의, 배금주의를 긍정하는 사람은 아무도 없겠지만, 자신의 인생을 되돌아보면 많은 사람이 어느샌가 무의식 중에 물질적인 풍요를 추구하게 되었을 것이다.

† 아네하 히데쓰구(姉歯秀次)라는 1급 건축사가 업체의 압력으로 건물의 내진 강도를 위장한 사건. 해당 호텔이 문을 닫는 등 커다란 파문을 일으켰다.
† 라이브도어의 분식 회계 사건과 무라카미 펀드의 내부 거래 사건.

20년 정도 전에 어느 저명한 선생이 학회의 간친회에서 "여러분은 일을 하고 있는 것이 아니라 움직이고 있을 뿐입니다."라고 말한 것이 기억난다. 우리는 하나부터 열까지 빠르게만 움직이며 결과적으로는 충실감이 없는 생활을 하고 있는 것은 아닐까? 잇달아 발생하는 이런 사건들을 보고 있으면 윤리관과 함께 질 높은 삶의 방식이란 무엇인가라는 생각이 든다. 그저 움직이는 것이 아니라 일을 한다는 의식을 갖도록 하자.

49
앞으로의 젊은이들에게도 패자 부활전은 있다

원하는 대학에 들어가지 못하면 그대로 미래를 포기해 버리는 젊은이가 있다. 이것은 취업의 경우도 마찬가지여서, 아직도 대부분의 대학생이 대기업만을 지망한다. 여기에 가정의 수입에 따른 교육 격차도 지적되고 있다. 상황이 이렇다 보니 '패자 부활전'은 꿈도 꿀 수 없다며 좌절하는 젊은이가 적지 않다. 뉴스 등에서는 계층의 고착화가 진행되고 있다는 소식이 종종 보도되고 있다. 그러나 잠깐 생각해 보자. 지금의 시대에도 패자 부활전은 있다. 대기업과 중소기업의 급여 격차가 자주 지적되는데, 무조건 그런 것만은 아니다. 실력을 갖춘 중소기업 중에는 기술자를 소중히 생각해 간부 후보생으로서 후대하는 곳도 적지 않다. 나는 대기업의 사원보다 1.5배에서 2배 많은 급여를 받고 있는 중소기업의 사원을 여러 명 알고 있다.

앞에서도 언급했듯이 새로운 산업은 대기업이 아니라 중소기업에서 탄생한다. 학생이나 보호자는 '중소기업보다는 대기업'이라고 생각할지 모르지만, 그 젊은이에게 실력이 있다면(혹은 실력을 갈고닦을 뜻이 있다면) 찬란하게 빛을 내는 중소기업에 입사해 일발 역전을 노릴 수 있다. 나는 연구 생활을 통해 의

욕이 넘치는 젊은이를 환영하는 실력파 중소기업을 다수 알고
있다. 물론 학생들이 물어보면 언제라도 그들의 존재를 가르쳐
준다.

마지막 강의

앞으로의 시대에는 대학의 '지'의 활용이 매우 중요한 열쇠가
되리라고 확신한다. 내가 사랑을 바탕으로 키운 학생들이 산업계에서
신뢰받는 후계자가 되기를 바란다.

최 종 장

간토가쿠인 대학은 일본에서 산학 협동의 선구자다. 이미 반세기 전부터 산학 협동을 실시해 왔다. 표면 처리 연구의 대부라고도 할 수 있는 나의 은사 나카무라 미노루 교수의 뜻을 이어받아 지금까지 40년이 넘는 기간 동안 내 나름으로는 최선을 다해 추진해 왔다.

'마지막 강의'라는 제목을 붙인 최종장에서는 먼저 내가 관여해 온 산학 협력의 발자취를 되돌아보는 동시에 2010년에 새로 구축한 재료·표면 공학 연구 센터에 관한 이야기, 그리고 현재의 경제 정세를 어떻게 읽어야 할지에 대한 내 생각을 순서대로 적으려 한다.

학원 분규로 산학 협동이 흔들렸다

나는 학원 분규가 발발하기 몇 년 전에 전공과에 들어가 이듬해부터 대학원의 1기생으로서 플라스틱 도금을 연구했다. 그리고 나카무라 교수가 산학 협력 부문을 담당하는 사업부의 부장과 교수를 겸임하고 내가 조수가 되었을 무렵부터 학원 분규가 시작되어, 조수들이 결속해서 교수회에 멤버로 참가하자는 운동이 시작되었다. 공학부에는 조수가 5~6명 있었는데, 나는 60명 정도로 구성된 교수회에 우리가 뜬금없이 멤버로 참여하는 것은 반대한다고 말했다. 이에 대해 당시 교수회에서 학생 운동에 협력적이랄까 추진파였던 젊은 교수는 나를 맹렬히 비난했다.

당시 나카무라 교수의 방에는 학장을 비롯해 대학의 임원 두세 명이 학원 분규를 해결할 방법을 상담하기 위해 와 있었다. 또 학생 운동에 열심인 학생들은 나카무라 교수 밑에서 조수로서 실학적인 연구를 하고 있었던 내가 자신들의 운동에 반대한다며 "산학 협동 분쇄", "조수의 음험한 책동에 단호히 항의한다."라고 목소리를 높였다.

학원 분규는 학교 폐쇄와 장기 휴강에 이어 급기야는 국도 16호선이 봉쇄되는 등 점점 상황이 악화되었고, 사업부는 대학에서 분리되지 않으면 협력 기업에 커다란 피해를 줄 것이라는 판단 아래 간토카세이라는 이름으로 독립하게 되었다. 그 무렵부터는 학생들과 토론을 해도 평행선을 달릴 뿐 해결의 실마리를 찾지 못했다. 매일 밤낮으로 교수회가 열렸지만, 대화로는 해결될 기미가 보이지 않았다. 결국 나카무라 교수는 자신의 자리를 내놓을 각오로 교수회에서 기동대 투입을 주장했고, 그 결과 분규는 해결되었다.

이 일로 나카무라 교수는 47세의 젊은 나이에 대학을 떠나게 되었는데, 그때 내게 "나는 대학을 떠나서 중소기업의 컴퓨터 도입을 비롯해 지도 교육에 힘쓸 테니 자네는 대학에 남게."라고 말했다. 이후 나는 나카무라 교수의 지원 아래 산업계와도 공정한 관계를 유지해 왔다.

지금까지 40여 년이라는 세월 동안 나의 연구실을 떠난 400명이 넘는 졸업생은 대부분 표면 공학 분야에서 활약하고 있다. 사실 전공투[†]의 지도적 위치에 있었던 학생 중에는 공업 화학과 학생도 상당수 있었다. 당시의 학생들은 좌익과 우익, 정치 무관심자로 나뉘어 있었는데, 나는 모든 학생과 친하게 지 냈고 학생 운동에 참여했던 이들과는 진지하게 토론했다. 활동 가들에게서 교육을 받았는지 그들의 주장은 어딘가 모르게 그 들의 주장을 대변한다는 느낌이 들었지만, 그때의 토론은 나의 삶에 커다란 영향을 끼쳤다. 특히 산학 협동에서 대학은 기업의 도급 기관이 아니라는 그들의 주장에는 나도 크게 공감했고, 그 후 기업과 협력을 할 때 이것을 항상 의식하게 되었다.

학원 분규가 해결된 뒤 학생 운동에 적극적으로 참여했던 학생 중 다수가 졸업 연구생이 되자 내 연구실에 오기를 희망했 다. 그들은 그만큼 순수하고 우수하며 발상력이 좋은 학생들이었 다. 몇 명은 아직도 산업계에서 현직으로 활약하고 있으며, 그들 과는 지금도 교류하고 있다. 나는 동문회에서 그들을 만나면 당 시를 떠올리면서 말을 해도 되는지 본인들에게 먼저 확인한 다 음 "벽에 빨간 페인트로 '조수의 음험한 책동에 단호히 항의한 다.'라고 쓴 게 바로 저 친구였어."라든가 "내가 하숙집에 놀러 갔 을 때 벽에 걸려 있던 전공투 헬멧을 들키고 멋쩍게 웃었던 기억나?" 등 화기애애한 분위기 속에서 뜨거웠던 당시의 추억을 이야기하곤 한다.

† 1968년에서 1969년에 걸쳐 일본의 대학에서 학생 운동이 격렬하게 일어났을 때 학부를 초월해 조직된 대학 내의 연합체. 정식 명칭은 전학공투회의.

컨소시엄의 선구자가 되다

사업부에서 간토카세이가 독립한 뒤에도 경제학부를 나온 엔도 이사오(遠藤功) 씨가 사장으로 있었던 시절에는 경제 성장이 눈부셨고 사내에 활기가 넘쳤다. 표면 처리 분야에서는 일본의 리더 같은 존재였다. 대학에서는 내 연구실, 산업계에서는 나카무라 교수가 이끄는 그룹 사이에서 '일본에서 최초로 세계에 발신할 수 있는 기술을 만들자.'는 마음가짐으로 리사이클을 중심으로 한 컨소시엄을 구축해 기술 개발을 진행해 왔다.

나카무라 교수는 갓 시장에 나온 원보드 마이컴을 주목하고 이것을 자동 제어에 활용했다. 또한 센서 연구의 경우, 우리 연구실은 당시에도 많이 사용되었던 물리량 센서가 아닌 화학량 센서의 개발에 착수했다. 한편 폐수 처리, 무전해 구리, 무전해 니켈 등의 자동 제어용 인쇄 회로 기판은 간토카세이에서 만들었다. 대학원에 진학한 학생과 함께 어셈블러와 기계어를 배우고, 제어 관련 전문학교를 나온 신진기예의 기술자 밑에서 인쇄 회로 기판을 자체 제작했다.

나도 당시 인쇄 회로 기판의 도면을 보면서 회로를 더듬어 찾고 납땜을 했는데, 그러다 전화가 와서 작업이 중단되면 집중력도 함께 끊겨서 부품을 어디까지 납땜으로 고정했는지 알 수 없게 되었기 때문에 학생들이 "선생님은 가만히 계세요. 저희가 하겠습니다."라고 말렸다. 또 다 함께 머리를 맞대고 제어 프로그램의 아이디어를 짜내며 매일 즐겁게 실험했다.

1980년대를 지배한 '세계 최초'

1980년에 교토에서 개최된 표면 처리 국제회의는 우리의 성과를 영어로 발표한 첫 무대였다. 내 박사 논문의 일부가 된 무전해 니켈 복합 도금의 자동 제어에 관한 내용이었는데, 서툰 영어로 발표한 기억이 지금도 생생하다. 또한 내 기억이 정확하다면 그 이듬해에는 미국의 세인트루이스에서 개최된 국제회의에서 무전해 구리 도금의 자동 제어에 대해 발표했다. 당시 나카무라 교수는 내게 "혼마 군, 긴장하면 안 되네!"라고 말하고, 잠을 충분히 자야 한다면서 자신이 애용하던 수면제 할시온을 줬다. 술과 함께 먹어도 괜찮다기에 나는 발표 전날 술과 함께 할시온을 먹고 잠자리에 들었다. 그런데 예민한 탓인지 잠이 오기는커녕

밤새도록 환각에 시달렸고, 발표 시간에 †화합물을 분석하여 어떤
도 계속 목이 말라서 정말 고생했다. 물질을 분리해 내는 막.

다시 연구 이야기로 돌아가면, 학원 분규 후부터 일관되게 연구했던 무전해 구리 도금의 고속화와 석출막† 물성에 관한 연구도 박사 논문의 중요 주제였다. 그런데 나카무라 교수는 이 박사 논문을 보고 날카로운 선견지명으로 "혼마 군, 이건 실용화할 수 있겠어."라며 새로운 방법으로 인쇄 회로 기판을 만드는 공장을 간토카세이 내부에 건설했다. 솔직히 나는 아직 비커 속에서만 실험했을 뿐이었기 때문에 내심 걱정이 컸다. 당시 나는 학생들과 기초 실험을 담당했고, 간토카세이의 기술자는 그것을 그대로 대량 생산에 적용했다. 컴퓨터를 이용한 무전해 구리 도금액의 자동 제어, 특히 인쇄 회로 기판은 도금뿐만 아니라 회로를 형성할 때의 레지스트(절연 도료) 인쇄 기술을 확립하는 것이 급선무였는데, 빠르게 틀을 갖춰 나갔다. 이것이 바로 전기 도금을 사용하지 않고 전체 무전해 도금으로 인쇄 회로 기판을 만드는 세계 최초의 애디티브법이다. 1980년대를 지배하자는 의미에서 'KAP(Kantokasei Additive Process)-8'이라는 이름을 붙인 이 방법은 세계적인 주목을 받았다.

안타깝게도 당시 개발에 관여했던 기술자의 대부분이 간토카세이를 퇴직했기 때문에 개발 당시의 이야기를 할 수 있는 사람은 나와 사이토 마모루(斎藤囲) 선생밖에 남아 있지 않다. 그

무렵부터 미국의 IBM과 벨 연구소를 비롯해 영국과 독일, 한국, 싱가포르, 타이완 등 전 세계의 기술자들이 도쿄 게이힌지마†의 도금 단지와 간토카세이, 그리고 내 연구소를 찾아와 연구 개발에 관한 정보를 교환했다. 또 영국과 미국, 한국에서 지금까지 열 명이 넘는 기술자가 장기 연수생으로 체재했다. 특히 현재 인쇄 회로 기판의 세계적인 메카로 성장한 한국 대덕 전자의 김정식 사장은 지금으로부터 30여 년 전에 3년 동안 대학에 적을 두고 간토카세이와 나카무라 교수의 사무실, 아즈마에서 연수를 했다.

그 후 전자 공학 영역에서는 엄청난 기세로 제품군이 교체되었고 새로운 기술이 전개되었으며 평가 도구는 '돈 잡아먹는 귀신'이라고도 불리게 되었다. 이에 따라 중소기업이 이 분야에 적극적으로 투자해 이익을 올리기는 상당히 어려워졌다.

전환기에 무엇을 어떻게 결정할 것인가

2000년, 전자 공학 실장 학회에 현재 인쇄 회로 기판 제조 방법의 주류가 된 빌드업 배선판 연구회가 설립되었다. 나는 고맙게도 이 연구회의 위원장에 임명되어 표준화를 향한 회의를 거듭했고, 빌드업 공법은 1년 뒤부터 인쇄 회로 기판 제조 공법의 주류가 되어 갔다.

이 공법에서 핵심이 되는 요소 기술은 무전해 구리 도금 기술이다. 그래서 간토카세이가 이 공정을 도입하고 협력해 달라는 대기업의 요청이 있었다. 그러나 간토카세이는 이미 이 영역에서 철수할 수밖에 없는 상황이었기에 기술 개발보다 생산성의 향상에 역점을 둬야 했다. 그런 까닭에 그 시기부터 간토카세이에 가는 빈도가 줄어들었는데, 지금으로부터 십수 년 전에 이래서는 회사의 장래성이 불안하다는 위기감을 느끼고 대학과 협동으로 연구소를 세우게 되었다. 탄생 과정에서 진통이 있었던 탓에 실제로 설립된 것은 내가 제안한 지 3년이 지난 뒤였지만, 당시 학장의 말에 따르면 "그때 선생(혼마)이 대학원의 위원장으로서 평의회에 참여하지 않았다면 연구소 설립은 아직도 멀었을 것"이라고 했다. 결국 2002년에 간토가쿠인 대학 표면 공학 연구소가 설립되었다.

그리고 나는 2010년에 새로 재료·표면 공학 연구 센터를 세웠다. 이것도 상당한 시간이 걸릴 것은 충분히 각오하고 있었다. 발족에 찬동해 준 산업계의 경영자들은 대부분 대학이 진정한 의미에서 독창적인 연구에 힘을 쏟고 그 성과를 업계를 위해 소개하며 또 그 성과가 비즈니스에 활용되기를 기대했다. 그리고 실제로 지금까지 수많은 신규 공정과 신규 도금욕을 개발해 산업계에 공헌해 온 실적이 있기에 앞으로 일본의 첨단 산업에 꼭 필요한 표면 처리 기술을 중심으로 범위를 더욱 넓혀 나가고 싶다. 따라서 지금까지와 같이 습식 공정만 연구, 개발하는 것이 아니라 건식 공정도 시야에 두고 재료 개발에 힘을 쏟음으로써 더욱더 고도의 기술을 세계에 전파할 수 있는 연구 환경을 만들어 나갈 각오다.

이제는 지금까지 표면 처리 업계가 힘을 쏟아 온 장식 도금의 시대가 끝나고 다양한 기능을 부가하지 않으면 아무런 가치도 없는 시대가 되었다. 앞으로는 건식 표면 처리나 도장(塗裝), 코팅, 열처리 기술을 융합시켜 센서와 고밀도, 최박화(最薄化) 등 사회의 요구에 맞춘 연구로 전환해야 한다. 간토가쿠인 대학은 새로운 미래 지향, 국제화 속에서 더욱 열린 연구 기관으로 새롭게 태어나지 않는다면 가치가 없는 연구 기관이 되어 버릴 것이다. 현재는 이번에 구축한 재료·표면 공학 연구 센터에서 기초부터 응용을 맡고 2002년에 설립한 표면 공학 연구소에서 실용화를 담당하고 있지만, 실제로는 기초부터 응용, 나아가 실용화까지 한꺼번에 담당하는 본격적 연구소의 설립이 가장 시급한 사회적 요구다. 18세 인구만을 타깃으로 삼은 대학 교육에서 한발 더 나아가 사회인을 고도 기술자로 양성하는 기능을 갖춘다면 특색 있는 연구소를 만들 수 있을 것이다. 이번에 발족에 찬동한 기업의 대부분은 단기적인 성과를 요구하지 않는다. 기업과의 협력은 30년 이상을 함께 가는 일종의 마라톤 경주다.

간토가쿠인 대학은 일본에서 유일하게 표면 공학에 주력한 산학 협동의 기원으로서 앞으로도 다른 대학의 모범이 되는 연구소를 구축하고자 노력할 것이다. 사무실은 이미 정비되었으며, 평가 도구가 갖춰진 실험실에서 학생들이 활발하게 연구에 몰두하고 있다. 다만 지금 가장 마음에 걸리는 점은 나도 이제 나이를 먹었다는 것이다. 사랑을 바탕으로 키운 스태프들이 산업계에서 신뢰받는 후계자가 되기를 기원한다.

나는 대학의 '지'의 활용이 미래의 열쇠라고 확신한다. 산업계와의 신뢰 관계를 바탕으로 좀 더 긴밀히 협력해 '제품 만들기는 사람 만들기'라는 신조를 바탕으로 우수한 기술자를 양성하는 곳으로, 또 기초에서 응용까지 아우르는 매력적인 연구소로 키워 나가고 싶다.

일본이 다시 '수익을 내는 힘'을 얻으려면

일본 경제는 수년 전에 일어난 리먼 쇼크에서 벗어난 뒤에도 디플레이션과 엔화 강세, 주가 하락 등 위기가 끊이지 않고 있다. 산업계는 수익을 내는 힘을 잃었고, 개인은 고용과 소득에 불안감을 느끼며, 정부는 세수 감소에 신음하고 있다. 예산의 절반 이상을 적자 국채에 의존하는 위기 상황이다. 그런데도 정당들은 싸움을 멈추지 않고 있어 국제적인 신뢰가 크게 저하됐다. 한시라도 빨리 나라 전체가 힘을 모아 다시 성장 노선을 만들지 않는다면 활력도 풍요도 희망도 기대할 수 없다.

많은 기업 경영자가 수출만이 희망이라며 생산 시설의 해외 이관, 해외 생산 확대, 국내 공장의 축소 등을 검토하고 있다. 이것은 과연 건전한 상황일까? 일본 국내는 소비가 크게 정체되어 물가가 하락하는 디플레이션 스파이럴에 빠진 상태다. 수출의 경우도 1달러당 70엔대의 엔화 강세여서, 기업은 향후 성장률을 연간 0.2퍼센트 정도로 예상하고 있다. 요컨대 기업이 일본 탈출을 생각해도 전혀 이상하지 않은 상황이다.

정치 쪽으로 눈을 돌려도 센카쿠 열도(댜오위다오)와 북방 영토, 후텐마 기지† 등 해결책이 보이지 않거나 미래를 알 수 없는 문제가 가득하다. 선거에서 표를 얻기 위해 육아 수당과 고속 도로 무료화 등 대중에 영합하는 공약을 남발했던 민주당 정권은 공약 이행이 불가능해졌음에도 이를 인정하려 하지 않는다. 이런 상황 속에서 일부긴 하지만 일본은 제조업과 결별해야 한다, 성장은 필요 없다는 목소리조차 나오고 있다. 이대로 가면 우리의 자손들이 나라의 빚을 갚기 위해 일하는 나라가 되고 말 것이다.

전기 기기와 자동차 등의 산업이 지급하는 급여 총액은 연간 약 25조 엔이라고 하는데, 이들 산업이 전부 해외로 이전한다면 성장이 멈춰 버릴 것이다. 1년 반 정도 전에 어느 전기 기기 제조 회

✦ 오키나와의 기노완 시 중심부에 위치한 미국 해병대 비행장. 소음과 여학생 납치·성폭행 사건, 헬리콥터 추락 사건 등으로 이전을 요구하는 시위가 벌어지고 있다.

사가 쌀로 빵을 만들 수 있는 홈 베이커리를 만들어 큰 인기를 끌면서 주문이 쇄도했다. 그런데 이 제품의 생산 거점을 일본 국내에 구축했다면 고용 촉진도 되고 경제 효과가 있었을 것이 분명하건만 아쉽게도 중국에 공장을 신설했다고 한다. 그 후에 상황이 어떻게 되었는지는 잘 모르겠다. 다만 기업은 이익을 추구하기 위해 인건비를 억제했겠지만, 일본에서 팔리는 제품이라면 일본 국내에서 생산해 고용을 촉진하는 편이 장기적으로도 소비 촉진에도 큰 효과가 있었을 텐데 하는 생각이 들었다. 제조 회사가 근시안적이지 않았나 싶다.

기업의 실적이 부진하면 국가의 세수도 늘어나지 않는다. 세금 분배가 우선되어 기업에 부담을 주는 정책보다 법인세 인하 수출 촉진책과 같은 기업에 도움을 주는 정책이 더욱 미래의 경제 성장으로 이어진다. 민간이 돈을 벌어 고용을 늘리는 효과도 기대할 수 있다. 시장 기능을 살려서 경제의 파이를 늘리고 여기에서 분배 자원을 만들어 내는 지혜가 필요하다. 예를 들어 삼성 전자는 샤프보다 연간 2000억 엔 정도의 여유 자금이 있다고 하는데, 그런 삼성 전자는 이미 2020년까지 매출액을 네

배로 늘리기 위한 경영 계획을 확립했다고 한다. 또 한국 정부가 유럽과 자유 무역 협정을 체결한 결과 14퍼센트였던 컬러텔레비전의 관세와 10퍼센트였던 자동차의 관세 등이 철폐될 예정이다. 그 결과 GDP는 3퍼센트 증가할 것으로 예상된다고 한다. 세계적인 승자가 되면 국내 고용을 늘리기도 용이하다.

　　미국과 일본, 유럽의 경쟁 구도에 아시아 등 신흥국이 가세하면서 국제 경쟁은 새로운 국면을 맞이하고 있다. 정부는 즉시 우대 정책을 강구해 기업에 활력을 불어넣어야 한다. 급격한 엔화 강세는 기업의 수출 경쟁력을 떨어뜨린다. 국내 경제의 디플레이션 압박으로도 작용할 수 있다. 엔화 환율은 안정이 최우선, 신중한 발언이 중요하다 같은 소리를 하고 있을 때가 아니다. 아시아의 국가들이 바짝 쫓아오고 있지만, 환경이나 로켓 등의 최첨단 분야에서는 일본이 발군의 기술력을 보유하고 있다. 또 일용품이나 식품 분야에서 글로벌화를 꾀하는 기업도 많아졌다. 일본은 앞으로 무엇으로 수익을 내야 할까? 일본처럼 인구가 줄어드는 나라에서 육아 수당으로 대표되는 가계 부문에 대한 분배에만 정책이 편중되어서는 발전성이 없다. 기업이 이익을 올리지 못하면 일반 가정도 회복되지 못한다. 위정자들은 자손들에게 부담을 지우지 말고 모든 산업 분야의 고용을 촉진해 밝은 미래를 열어 나가기 위한 적극적인 정책을 모색해야 할 것이다.

일본 부활의 열쇠는 기술의 재평가

한편, 일본이 수출 입국인 이상은 좀 더 외국의 움직임에 주목해야 한다. GDP 순위는 30년 이상 1위 미국,

† Official Development Assistance: 공적 개발 원조. 선진국 정부 기관에 의한 개발 도상국 또는 국제기관에의 원조.

2위 일본, 3위 독일의 구도가 계속됐지만 지금은 중국이 2위를 차지하고 있다. 이렇듯 중국의 경제 성장은 주지의 사실인데, 이 성장은 중국 국내의 활동으로만 이루어 낸 것이 아니다. 미국 본토에서도 중국인의 활약이 눈부시다. 실리콘 밸리의 30퍼센트는 중국계이며, ODA†가 지원하는 아프리카의 도시에 차이나타운이 잇달아 생겨나고 있다. 이것은 중국인들이 자신들의 세계를 넓히려고 노력하고 있기 때문이다. 중국뿐만 아니라 동남아시아와 중동 국가들의 경제 성장률도 상승하고 있다. 엔화 강세가 계속되어 일본의 중소 제조업도 외국으로 진출할 수밖에 없는 상황이다. 활력이 있는 나라가 성장하는 것은 당연한 이치다. 성장하는 나라는 번영하고, 하락하는 나라는 쇠퇴한다.

현재 일본은 부채 총액이 1000조 엔에 이르려 하고 있는데, 이는 국민 한 사람당 800만 엔이 넘는 빚을 지고 있는 셈이다. 성장 노선을 취하지 않고 부채를 줄이기는 어려우며, 섬나라 일본이 더욱 성장하려면 기술을 중심으로 한 수출을 확대하는 수밖에 없다. 그러려면 단면적인 생각일지 몰라도 기술에 대

한 평가를 재고해야 한다. 현재는 비용에만 지나치게 신경을 쓰고 있어 우수한 기술자들이 의욕을 잃고 있다. 경영자들은 일본의 강력한 기술력을 인식하고 외국에 기술을 이전할 수밖에 없을 경우에도 지적 재산권이 유효하게 기능하는 체제를 구축해야 한다.

별로 하고 싶지 않은 이야기지만, 20년 전까지 학회나 연구회에 함께 있었던 많은 기술자가 돈을 벌기 위해 개인 자격으로 외국에서 일하고 있다. 그러나 그들이 좋아서 가족과 이별하고 혼자 외국으로 떠난 것은 아니라고 생각한다. 능력 있는 베테랑이 국내에서 활약할 수 있는 환경이 필요하다.

이제 슬슬 이야기를 마무리할 때가 된 듯하다. 지금까지 '다음 세대에 전하고 싶은 말' 49가지를 적었는데, 마지막으로 50번째 말을 여러분에게 전하고 싶다.

50
젊은이들이 빛을 발견할 수 있는 환경을 만들자

나는 2012년 3월에 마지막 강의를 위해 강단에 선다. 또 4월부터는 연구 센터에서 대학의 부속 기관인 연구소로 승격되는 재료·표면 공학 연구소의 소장으로서 산관학 협력의 발전을 위해 일할 예정이다. 앞으로의 활동 중에서 내가 특히 중요하게 여기는 것은 기술의 전승이다. 지금까지도 여러 번 언급했지만, 적지 않은 현장이 효율을 우선한 나머지 기술 전승을 소홀히 하고 있다. 이래서는 일본의 제조 능력이 저하될 뿐만 아니라 연구나 제조 현장에서 일하는 젊은이들이 희망을 느낄 수 없다.

나는 젊은이들에게 '내가 하고 있는 일이 사회에 도움이 되고 있다.'는 실감을 느끼게 하고 싶다. 매일 일하는 현장에서 빛을 발견할 수 있도록 돕고 싶다. 환경을 만드는 것은 바로 윗세대가 해야 할 일이다. 내가 이번에 이 책을 쓴 것도 그런 강한 바람이 있어서이며, 또 재료·표면 공학 연구소의 소장으로서 앞으로도 정력적으로 활동을 계속하기로 결심한 것 역시 다음 세대로 이어질 환경을 구축하고 싶어서이다.

교육계의 사람들도, 산업계의 사람들도 자신만을 생각해서는 안 됨을 다시 한 번 명심해야 한다. 가르치고, 키우고, 때로는 꾸짖고, 때로는 도움의 손길을 내밀어야 한다. 다음 세대에 삶의 보람을 제공할 수 있는 조직을 만든다면 그 성과는 반드시 나타난다. 그렇게 되면 일본의 제조업은 다시 한 번 세계의 주목을 받게 될 것이다.

지은이
혼마 히데오(本間英夫)

1942년에 도야마 현에서 태어나 1968년에 간토가쿠인 대학 공학 연구과 공업 화학 전공 석사 과정을 수료했다. 이후 조수와 전임 강사를 거쳐 1982년에 오사카 부립 대학에서 공학 박사 학위를 취득한 뒤 간토가쿠인 대학 공학부 교수에 취임했다. 표면 처리 분야, 특히 '도금'을 정력적으로 연구해 플라스틱에 도금하는 방법을 전 세계 최초로 공업화함으로써 전자 공학 실장 기술의 발전에 크게 공헌했다. 또 산학 협동 연구에도 적극적으로 참여했으며, 이를 통해 이룬 업적이 높은 평가를 받아 국내외 주요 관련 학회의 학회상과 논문상을 수상했다. 주요 수상 경력으로는 표면 기술 협회 논문상, 협회상, 전자 공학 실장 학회 특별상, 국제 표면 처리 사이먼 워닉 상, 미국 전기 화학 연구상, 산관학 협력 특별상, 가나가와 현 문화상 등이 있다. 1995년부터 간토가쿠인 대학 공학 연구과 박사 후기 과정 지도 교수로 있으며, 2002년부터는 간토가쿠인 대학 표면 공학 연구소 소장을 겸임하고 있다. 2007년에 간토가쿠인 대학 특약 교수가 되었고, 2010년에는 신설된 재료·표면 공학 연구 센터(2012년 4월부터 연구소로 승격) 소장에 취임했다. 또 주된 사회 활동으로 경제산업성 관할 공해 위원, 서포팅 인더스트리 위원장, 임시 심의 위원, 특허청 고밀도 배선판 조사 위원장, 가나가와 현 기술 고문, 환경 조화형 연구 고문, 기술 심의 위원, 관련 학회의 편집 위원, 서무 이사, 부회장, 회장, 해외 관련 학회 리서치 보드 멤버, 문부과학성과 경제산업성 관할 화학 관련 재단 이사 등을 역임했다.

저서
『공학자의 사고법(工学博士の思考法)』(일간 공업신문사)
『현대 전자 재료(現代電子材料)』(공저, 고단샤 사이언티픽)
『신 도금 기술 입문(入門新めっき技術)』(공저, 공업 조사회)
『신 도금 기술(新めっき技術)』(공저, 간토가쿠인 대학 출판회)

옮긴이
김정환

건국대학교 일한통번역과를 수료했다. 공대 출신의 번역가로서 공대의 특징인 논리성을 살리면서 번역에 필요한 문과의 감성을 접목하는 것이 목표다. 옮긴 책으로는 『자네 늙어봤나, 나는 젊어봤네』, 『하버드의 생각수업』, 『손정의의 선택』 등 수십여 종이 있다.

세만공 총서 3
**젊은 공학도에게 전하는
50가지 이야기**

초판 1쇄 발행 2016년 7월 31일
초판 2쇄 발행 2016년 9월 1일

지은이: 혼마 히데오
옮긴이: 김정환
펴낸이: 장재용

편집: 강혜영
디자인(본문): 빈칸
디자인(표지): 디자인더하기

펴낸곳: (주)오투오 (다산사이언스)
출판등록: 2015년 2월 10일 제2015-000052호
주소: 서울 특별시 마포구 독막로 3길 51, 301
전화: 070-5055-4390
팩스: 070-8299-1212
이메일: book@otospace.co.kr
홈페이지: www.otospace.co.kr

ISBN: 979-11-955002-8-4 (04500)
        979-11-955002-6-0 (세트)

- 세만공(세상을 만드는 공학 이야기) 총서는
  해동과학문화재단의 지원을 받아 NAEK 한국공학한림원과
  다산사이언스에서 발간합니다.